Un Bleu éblouissant

DANS LA MÊME COLLECTION

GAËTANE DE MONTREUIL
Réginald Hamel

CITATIONS QUÉBÉCOISES MODERNES
Claude Janelle

UN HOMME ET SON LANGAGE
Louis-Paul Béguin

PROBLÈMES DE LANGAGE AU QUÉBEC ET AILLEURS
Louis-Paul Béguin

La publication de cet ouvrage a été rendue possible grâce à l'aide du Ministère des Affaires culturelles du Québec.

LES ÉDITIONS DE L'AURORE
1651 RUE SAINT-DENIS, MONTRÉAL, QUÉBEC, H2X 3K4

Michel Chevrier

Un Bleu éblouissant

et autres nouvelles

DISTRIBUTION

Montparnasse - Édition
Quai de Conti, Paris 75006
France

Foma - Cédilivres
5, rue Longemalle, Lausanne,
Suisse

Les Presses de Belgique
25, rue du Sceptre, 1040 Bruxelles,
Belgique

Les Messageries Prologue Inc.
1651 Saint-Denis, Montréal, Québec,
849-8120 / 849-8129

Dépôt légal, 1er trimestre 1978
Bibliothèque nationale du Québec
ISBN 0-88532-145-6

À l'Artisan Claude Jutra,
avec toute mon amitié

Sommaire

Le côté bleu

EN bleu, c'est en bleu que je la verrai toujours, qu'elle surgira brusquement, qu'elle traversera les champs de mon songe, furtive, petite, légère. En bleu, c'est en bleu que je la verrai toujours. Toujours ou jusqu'au jour où j'aurai — mais j'ignore encore comment — fait éclater la dernière maille d'elle en moi, ma mère, la tricoteuse d'enfances. Fait exploser le dernier soleil bleu. Fait sauter le dernier lien qui nous unit l'un à l'autre. Car il en est des serments d'enfant comme des étoiles ou des soleils. Ils ne s'oublient qu'une fois dissous, non pas dans le ciel, mais dans la mémoire. Et ce que je lui jurai, ce soir-là, dans le petit boudoir de la maison du grand-père, c'était de lui rester fidèle pour toujours. Bien sûr, en échange, elle me livrait la clé d'une éternité. Mais je n'en veux plus. C'est qu'il me fallait pour cela prendre sur mon dos la faute de l'homme qui ne l'aimait plus. La faute de l'homme mon père. J'étais, je suis bien le fils de cet homme. Pour l'aimer, pour être aimé d'elle, et recevoir ainsi la couleur de ma vie, il me faudrait me détester, moi, ce qu'il y avait de viril, dont le guerrier, en moi. Et cependant, jouer à l'homme, pour cacher les apparences de notre amour. Mais je ne veux désormais ni de l'éternité, aussi belle qu'elle puisse sembler, ni d'une fausse paix. C'est que je n'ai pas connu d'autre vie que de me refuser au monde. Aujourd'hui, si, poussé par je ne sais quelle nécessité profonde, je me prétends encore enfant, ce n'est certes pas orgueil d'une fidélité à moi-même, d'un instinct farouchement conservé, en dépit de tout. L'instinct ne connaît pas la prétention. Le seul besoin de tout rejouer une dernière fois, le plus rapidement possible, pour en finir avec le côté bleu de ma vie, m'anime. Le besoin de rejouer une fois pour toutes le jour, l'heure, la minute, l'instant. Pour en finir avec la pitié, la pitié qui n'est pas la tendresse. Pour en finir avec l'échec que je suis, de m'être longtemps cru la cause de l'échec du couple de mes parents, de l'homme mon père et de la femme ma mère. Pour briser le long sortilège, je n'ai pas d'autre atout que d'inviter, avec vingt ans de retard, les témoins qui n'y furent pas, le jour de ces noces bizarres entre ma mère et moi. Pour les entendre dire, ou que je suis fou, ou que la femme ma mère ignorait ce qu'elle faisait. Ou que tout cela fut de la force des choses, qu'il n'y a rien d'exceptionnel à ce qu'un jeune garçon aime sa mère au point de toujours se demander ce qu'elle penserait si elle était là...

Ce furent, ce soir-là, dans le petit boudoir, des noces bizarres. Depuis — le sait-elle seulement? — ma mère est ma déesse, et le bleu, pour ce qu'il enferme d'enfance, la couleur qui me trouble le plus, comme elle me troubla alors. Elle fut le bleu une seconde peut-être... Elle l'est pour moi depuis. Ce fut son grand génie, en effet, sa grande magie, que de s'enfermer en une couleur unique. Et sa dernière coquetterie peut-être, quand l'échec de son mariage fut certain, que d'être triste... Ou mélancolique plutôt, avec ce que ce mot traîne de ciels de pluie en lui. Si mystérieuse, pour l'enfant, la grande personne! La grande personne-dieu! Immobile et mélancolique, et bleue... En fait, il n'y avait peut-être, pour elle, dans la situation où nous étions, pas d'autre issue que de faire de nous, ses enfants, sa raison de vivre... Son génie particulier lui vint-il d'une enfance trop belle, qu'elle devait sauver à tout prix et répéta en nous? D'un amour de la musique auquel elle dut renoncer? Nous aima-t-elle trop? Comment le saurai-je jamais?

Une violence parfois...

Ce furent des noces bizarres.

Je me souviens de tout. Ou, sinon de tout, de beaucoup. Il n'est pas d'autre façon d'entrer dans une éternité que de se souvenir de tout, au risque d'avoir la mémoire si pleine qu'on s'arrête imperceptiblement de vivre, sans s'en rendre compte, jusqu'au jour où la dette à la réalité — ou à ce qu'on nomme réalité —est impossible à assumer seul. L'éternité, c'est aussi une certaine façon d'être mort, de remuer le moins possible, de peur que tout ne s'écroule, au moindre souffle du vent, à la première peur. L'éternité, ce faire-semblant... La paix... La fausse paix... Il ne faudrait jamais parler de paix. Encore moins que de guerre. Je me souviens de beaucoup. Sans doute la force de ces souvenirs n'est-elle grande que parce qu'ils étaient les premiers à offrir un sens. L'instant de la découverte de sa mémoire est pour l'enfant, un enfant, le capital. C'est celui où il réalise qu'il devra, pour survivre, apprendre à attaquer ou à se défendre... Qu'ai-je fait d'autre que me défendre? Me défendre.. me refuser... Je n'ai pas connu d'autre jeu. De quoi fallait-il me protéger, quand je découvris ma mémoire? De quelle inévitable violence sous laquelle mon père, et avant lui, le père de ma mère, avaient été écrasés? La violence des choses? J'avais, à cause de la faiblesse de mon père — toutes les apparences étaient contre lui —, à me défendre de lui ressembler. J'avais à m'interdire d'être homme, avec tout ce que cela voulait dire de sensuel, de violent, d'obsédé de puissance et de luxe... Quelle voix voulait-elle éteindre dans mon sang, quel animal étouffer, quel feu, quelle folie? Ma mère devint d'un seul coup, de l'instant du boudoir, la police de ma vie, la force première à laquelle je m'identifiais, me soumettais. Cette force, c'était celle de l'oeil-d'en-haut-, perçant tous les mensonges inventés à mesure, me rejoignant sans cesse au moindre coin de ma vie...

La paix de l'âme qu'il m'arrive parfois de toucher n'est nulle autre que celle d'une certaine reconnaissance distraite de la déesse, que ce soit elle ou une autre (en toutes les femmes, c'est elle que je vois). J'en demande si peu. Je suis convaincu par la couleur, rien d'autre. Par ce miroir de bleu ouvert à partir des premiers instants de ma vie. Les blancs dans ma mémoire ne sont rien d'autre que des corridors de bleu... Plus loin que l'instant du boudoir, il n'y a rien.

J'ai eu beau imaginer mille folies, mille fissures dans l'univers, par lesquelles je m'échappais, jamais je ne suis tout à fait sorti de l'enfance. C'est que ce que je croyais découvrir à travers les dernières images du couple de mes parents, mais premières pour moi, c'étaient les points d'appui mêmes de ma raison. Ma vie s'arrêtait où d'autres commencent la leur. Je croyais devenir, enfant d'un échec, cet échec lui-même. Je me faisais contradiction. Toujours, l'homme et la femme se feraient la guerre en moi. De peur d'être broyé par les forces que ma mère découvrait par milliers d'un seul coup — ayant toujours été une enfant elle-même —, il me fallait au plus tôt me placer sous sa haute protection. Elle consentait à tout pour moi, à condition que je lui cède ma liberté. Elle était la vie: elle devait tout en connaître. Elle me transmit ses peurs. Et peut-être aussi sa magie...

Points... points... points...

Il y avait eu les premiers points découverts de la lune et du soleil, puis, ceux d'or, des étoiles... Il y eut, sur la terre, les points bleus des myosotis, par milliards... Qui le dira ce jour d'été, monté par une seule fleur se faufilant en lui, légère, tremblante?... Il y a ce point dans ma tête, d'où je me place pour regarder, en un seul plan, le fil de toute la mémoire... Un fil unique d'argent, le long duquel, accroché, je glisse, jusqu'aux temps les plus reculés... Je tombe... Je tombe... Je tombe... Oh! la magie de sa robe bleue, quand elle était assise dans le petit boudoir... Et le point de son oeil si tendre, qui se troublait à rien... ce point d'or mobile qui me bouleversait... me traversait comme une étoile pour aller se perdre, loin au delà de moi...

Elle avait à me défendre de mon père... Quand il versa dans un certain gangstérisme — contrebande de cigarettes américaines, vente de billets de loterie contrefaits —, elle fit, pour refus de pourvoir, saisir tous ses salaires. Il dut s'exiler. Il n'y eut plus que le point bleu de son mouchoir à elle, parfumé de lavande, quand elle venait me voir le dimanche, chez les bonnes soeurs, petit mouchoir chiffonné comme un nuage au bord d'un ciel d'été... Je l'ai toujours vue mélancolique, ma mère, l'impossible déesse. Pour l'enfant, Dieu, c'est la grande personne, oh! si haute, si vaste, si difficile à percer... Rien d'autre? Pour l'enfant, le monde commence et s'arrête à ce qu'il voit. Quelque chose a-t-il vraiment changé depuis?

Une violence parfois... Inutile, vouée d'avance à l'échec.

Bien sûr, il se trouve des gens pour dire qu'il n'est pas de mémoire, il n'y a que l'instant... Mais qu'est-ce que l'instant sinon la fine pointe du temps, l'aiguille d'un sens à trouver sans cesse, jouant si rapidement qu'est maudit celui qui chercherait à la saisir, à briser le fil d'argent de toutes les mémoires? Vivre sans mémoire? Il faut bien se résoudre à porter sa pierre avec soi, si l'on veut un jour se bâtir une maison. La mémoire...? Le seul capital! Il y eut quelques instants tout au plus. Celui de la découverte du soleil — la fissure dans le mur du coin de la cour, comme je m'y faufilais, m'y faufile encore, afin de voir si le soleil mon ami m'attend toujours, ne m'a pas trahi...

Il y eut les premiers instants. Il n'en fallut qu'un seul pour découvrir la mémoire. Le reste s'est fait tout seul, comme s'il avait suffi qu'on nous jette un jour dans l'âme quelques graines de monde: un do, un 3, un mot, un peu de bleu... En découvrant la magie du bleu, qui allait se répéter, qui se répète encore aujourd'hui, c'est une clé de l'énigme que je découvrais. L'énigme très tôt posée à moi de la mort. De la mort de l'amour de mes parents? De la mort tout court aussi bien. Pour échapper à toute guerre, à tout mal, il me suffirait d'aimer le bleu, ma mère (c'était la même chose). Où d'autres périraient de leur propre force, je serais sauvé toujours. La mort? Je les avais bien vus, les masques de cire souriants. Il y avait peut-être eu, quelque part, l'écroulement de milliards de soleils... Il ne pouvait s'agir d'autre chose. Qu'importait d'ailleurs puisqu'en fin de compte le bleu demeurait, survivait aux morts et aux vivants? Que m'importait même ma vie? Par le bleu, nous étions tous éternels. Aujourd'hui, cette éternité me pèse trop. Je me bombarde la mémoire de café, où d'autres s'alcoolisent ou se piquent à la morphine, à vouloir briser le fil d'argent, pour regarder encore, par les fissures du temps, parce qu'après un certain âge c'est comme s'il n'y avait plus de sens à rien, paraît-il. Je ne l'ai jamais cru. Comment m'ennuierais-je quand ce sont des millions de soleils ou d'étoiles qui s'offrent à moi sans cesse? Je me sais le témoin d'un calcul constant de trajectoires. Je suis un soleil... Elle est une étoile... Tant de choses à dire, à faire... La mort? Les enfants ne meurent jamais. Ils apprennent à faire le vide, un point, c'est tout. Non pas à ne rien faire mais à faire le rien, pour laisser place à des vies nouvelles. Pour chaque pierre de mémoire brisée, il naît un petit soleil qui tourne tourne tourne, à jamais libéré... Au lieu de faire des croix sur les jours, j'en fais sur le blanc de la feuille, ou le bleu du ciel, ou le givre des vitres. De ma salive, je dessine parfois des pays. Comment dire qu'on est éternel, sans tomber dans le ridicule? Le ridicule du trop simple. Comment dire qu'il n'y a qu'un pays? Celui du corps de qui l'on aime, aux géographies inouïes... Ou alors, comment s'en défaire d'un seul coup, l'enfance? Jeter, en geste symbolique, une pierre à l'eau de la rivière? Pourquoi chercherais-je à la fuir? De quoi m'échapperais-je ainsi? Je suis jeté, que je le veuille ou non, une fois pour toutes, dans la guerre du jour. Ce qui me pousse, ce qui me force à chanter, ce sont des soleils étouffés dès le départ, une soif de me réunir, une immense curiosité. Je colle sans fin les bouts de ma vie. Je cherche, comme en parcourant des pistes dans un bois on cherche le plan de toute la forêt... Je cherche tel détail, tel frisson de vague tel après-midi, tel cri de cigale... Retrouver l'instinct pur sans doute atroce qui vous force à manger des miettes de vie dans sa main! Fus-je fou du premier instant? À chacun son voyage, son passage. En enfance, tout était si fort... Les goûts et les couleurs... Si fort...

Tous ces rires blancs sur les balançoires, qui s'évaporaient sous les arbres... Les langues jaunes du soleil sur les cornets de crème «en glace»... Et la chaloupe en cristaux de couleurs, le dimanche, au fil de l'heure, au fil de l'eau... On était saoûls de l'air de vivre. Les hommes étaient de grands arbres à moustache. Les femmes... Pour le Pays du Bleu, nous partîmes ensemble, ce soir-là, ma mère et moi. Comment pouvais-je me douter? Me douter que je me souviendrais? Me refuser à bien des modes en me disant qu'une seule des fleurs sauvages de mon enfance valait toutes les Amériques...

Ne croyez à rien de sensible ou de tendre dans ce que je dis. Un enfant n'est pas tendre. C'est qu'il est seul et n'a pas encore connu la pitié. Tout enfant est seul. Si je fus, moi, berné, ce jour-là, par ma mère, d'accepter de l'aimer éternellement, j'étais plus lucide que vous pourriez le croire. Ce n'est que bien plus tard que je deviendrais prétentieux. Si lucide, l'enfant qui sait où il se perd, qui comprend tout de suite quel jeu il lui faudra jouer. L'enfant amusé des grands mots, des gros chiffres, qui ne sont rien d'autre à ses yeux que des frontières à la mort. L'enfant qui se souvient d'un temps où il n'y avait pas de temps... Je suis fou? Comment pouvais-je refuser cette première approche du génie, cette première porte sur le rêve? Aujourd'hui, si je la poussais encore, cette porte, je ne serais plus le même, je le sais. À mesure que j'y progressais, on me disait le monde triste. Les uns s'évadaient, les autres espéraient. Ce soir-là, je partis avec ma mère pour un incroyable pays. La mort? L'enfant se moque de la mort. Il l'a vue, bien sûr, qui cherche à le mordre. Mais il est si beau qu'elle n'ose pas le toucher et se laisse flatter, la tête inclinée, surprise par l'enfant... Elle sait ses manigances inutiles avec lui. Pour l'enfant, la mort est une fête un peu moins bête que les autres. Il s'est passé quelque chose. On ne sait pas quoi au juste. Une fenêtre s'est ouverte... Le plus petit soleil vaut toujours toutes les peines, toute la patience... Comment dire que la mort telle qu'on se la figure généralement n'est que la mort de l'enfant en nous, le bout de la solitude touché?

En bleu... Un millier de soleils bleus chapelètent ma mémoire. Je la verrai toujours en bleu. Un nuage passera dans le ciel, quand j'aurai quatre-vingts ans, que ma mère me sourira cachée derrière... Elle me jettera un clin d'oeil... À mon tour, un enfant me reconnaîtra... Par le bleu, et rien d'autre, nous aurons été éternels. Éternels? Le soleil, par quel rayon le saisir? La mémoire, par quel bout la commencer?

Dans le petit boudoir de la maison du grand-père, ce furent des noces bizarres (je n'ai pas d'autre violence que celle de ma mémoire).

Elle était rentrée à une heure inaccoutumée, ce soir-là, très lasse, à bout de nerfs. C'était sa première journée de travail à la ville. Ou était-ce vraiment le premier jour de son travail que cela arriva? Ce qui est sûr, c'est qu'elle, la fille de l'ancien maire de la petite ville de X, de l'homme qui s'était, par sa seule volonté de travail, enrichi, elle allait désormais devoir gagner sa vie. Elle avait reçu une éducation de jeune fille de famille aisée. Elle allait devoir renoncer à la vie facile qui avait été la sienne. Quand tout avait commencé à aller mal avec mon père — qui, lui, n'avait jamais pu que rêver de faire «un gros coup d'argent vite» —, elle avait encore pu compter sur sa famille. Elle allait devoir ne compter que sur elle-même. Tout arrivait en même temps. Mon père, un peintre, un bohème, allait la quitter pour une autre femme ou d'autres femmes (c'est entouré de femmes à demi-nues, aux bouches rouges, que je me le suis toujours imaginé, l'homme mon père, une cigarette aux lèvres, un feutre mou sur l'oeil, souriant nonchalamment). Tout son monde s'écroulait. Tout un monde issu de la guerre. Pour elle, c'était la fin de l'enfance, de la jeunesse, de l'insouciance qui avait jusqu'alors été la sienne. La fin de ses rêves? Est-ce une part de ses rêves qu'elle voulait me donner, en m'emmenant au Pays du Bleu, pour qu'ils ne se perdent pas tout à fait?

Je revois la scène.

Elle est entrée tout à l'heure. Je m'approche d'elle. Elle s'est assise sur le sofa et pleure. Triste, oh! si triste, si petite soudain, si incroyablement écrasée... Je ne comprends pas. Tout ce que je vois, c'est qu'elle est triste. À cause de moi? Bien sûr, à cause de moi (il veut le monde si beau, l'enfant, qu'il prendrait sur lui tout le mal, pour empêcher que la moindre laideur n'arrive). C'est parce qu'ils ont la chair si tendre qu'on dit des enfants qu'ils sont coupables. Je suis coupable. Je suis la cause que tout s'écroule. Tout est arrivé avec moi: la séparation de mes parents, la faillite du grand-père. Ma mère souffre à cause de moi. Cela seul compte.

C'est le seul instant de ma vie où je fus sensible jusqu'au bout. Après, tant cette seule fois m'aurait coûté cher, je jouerais à l'être, je me répéterais. Bien sûr, j'étais bouleversé par un rien, je donnais une trop grande importance à ce qui n'était qu'un événement banal. Je me donnais, comme tout enfant qui se croit l'axe premier du monde, un rôle trop grand. Après, pourtant, même en me raisonnant, ce ne serait plus la même chose. J'étais une fois pour toutes sorti de l'enfance. Après, ce serait autre chose. De la vulnérabilité. Je fus une fois touché par la tristesse de ma mère. Ce fut assez. Je me souviens de ce qu'elle me dit, en me prenant dans ses bras: «Un jour, tu comprendras... Un jour, tu te souviendras...»

Un million de soleils bleus dans ma mémoire... de têtes de myosotis...

J'aurais voulu comprendre tout de suite. Je voulais comprendre tout de suite. J'ai compris ce que j'ai pu. J'étais devenu d'un seul coup irrémédiablement prétentieux. Quand je serais grand, je m'occuperais uniquement de ma mère. Pour elle, je cumulerais tous les rôles.

Qu'est-ce qui me poussait? Ou qui? J'entrai en son amour. Comme en l'éternité.

Et je me retrouve seul, sur le pouf du petit boudoir de la maison du grand-père... La maison du grand-père où je passais mes étés... Et je me retrouve à jongler avec des petits bouts de ma vie... C'est moi, cela... Hier, je lui ai cueilli des fleurs, un énorme bouquet presque aussi gros que moi. Le premier que j'ai ramassé, j'ai dû, à cause d'un gros bourdon, boule d'or saoûle zigzagant dans l'air, l'abandonner. Il y en a des jaunes, des mauves, des bleus... J'arrive... Je lui cueille aujourd'hui des bouts de ma vie. Je les offre à n'importe qui, aux témoins qui n'y furent pas... Bleu, c'est toujours en bleu que je la verrai... Je m'affole... Tout est si simple parfois pourtant... Il y a quelques lignes: celles, tremblantes, légères, fragiles, qui se briseraient à rien, d'un corps qui court, libéré, d'un seul souffle, très loin... Dansant, oh! si dansant qu'il me remue le coeur. Je cours... Je cours... Je cours...

J'arrive.
Pour l'enfant, vivre, c'est voir. Rien d'autre.

J'ai toujours été seul. Sur un pouf... Un oiseau poursuivant une cigale s'est un jour fracassé la tête contre la galerie de la maison du grand-père... Je cours... Je m'échappe enfin... Regardez-moi courir, n'être plus qu'un point à mon tour... Je cours... Je cours... Le long du fleuve... La mer comme un aimant m'attire... Je cours... Non, quelque chose s'est cassé. Je me retrouve seul? Non, elle est là qui veille, qui m'observe. Elle me protégera du monde malgré moi.

Pour m'amuser, le soir, avant de m'endormir, je répétais les mots toujours-jamais toujours-jamais toujours-jamais jusqu'à m'en terrifier... Puis je tombais dans le sommeil...

Ma mère tricoteuse d'enfances, tricoteuse de mémoires, laissez-moi! Laissez-moi seul! Heureux? Même pas. Je n'ai pas besoin du doux sentiment d'être heureux. Je suis attentif, curieux. Je scrute une étoile ou j'essaie de fixer le soleil... Fixe, le soleil, fixe! Tranquille, mon coeur! Couchée, la mort, couchée! Je n'attends rien, je n'espère rien. Plus rien maintenant sauf de me rendre jusqu'à la mer. Remonter le long fleuve tout parfumé vert, d'oiseaux morts à demi-noyés dans les varechs... Une odeur forte... Mais pourquoi tous ces oiseaux morts? Je me retrouve seul sur le pouf... Seul?

Non, je l'entends. Elle s'est assise au piano, tendre oh! si terriblement tendre... petite... bleue... Elle joue dans le temps... Elle joue le temps... Elle joue... Les rideaux bougent-ils? Ou ce sont les brouillard du songe où elle s'installe au moindre silence? Elle joue... Je suis toute son enfance... Je suis ma mère.

Pour le Pays du Bleu, nous partîmes ensemble, ce soir-là...

Elle est toujours demeurée comme indifférente devant ces petits bouts de ma vie que je lui offrais, comme si elle m'avait toujours su d'avance. Elle n'en a jamais tenu compte. Elle m'a toujours pressenti. Mais c'est tout ce que je consentirai à donner désormais... Des petits bouts de ma vie... À elle et à n'importe qui...

Petits bouts... Petit bout...

Sans rire, qu'est-ce que ce fut quand je voulus montrer mon petit bout? Car pour elle, ni pour aucune femme par conséquent, je ne pouvais avoir de corps. J'étais son ange, sa magie, sa fleur précieuse, son plus grand amour. Pour dormir, je me suis toujours plié en huit, comme elle me l'avait appris. Elle me mettait dans un tiroir pour la nuit. J'étais sa chose, son canari. Elle tirait le voile sur la cage pour la nuit: je cessais de chanter. Je n'ai jamais eu de corps. Ou je l'ai perdu? Où? Je le cherche encore... Une immense curiosité... Je cherche l'étoile perdue, aperçue un jour au hasard d'un voyage... l'étoile des sens... Je ne jouai qu'une fois...

Elle et bien d'autres... Elles se sont toute mises de la partie. À me faire croire que j'étais un ange. Elles ont toujours eu le rire léger léger léger... J'étais drôle... J'étais «cute»...

Comment ne les aurais-je pas cru, elles qui m'aimaient?

Mademoiselle Je-ne-sais-plus-qui, qui m'apprit l'alphabet, m'aimait. Elle ne me tapa les doigts du bout de sa règle qu'une fois en un an. Mademoiselle Irène, elle, vieille fille engagée chez les bonnes soeurs pour les travaux de ménage, enfouissait, une fois par semaine, ses longs doigts fins dans ma petite culotte de «flanalette» rayée mauve et bleue. Soeur Thérèse, celle qui me fit une fois subir le supplice de la palette de ping-pong (il s'agit, pour cela, de placer l'enfant sous le lit, les fesses seules émergeant, et de frapper quelques coups de palette de ping-pong), passait, contrôlait, le duvet de sa moustache frémissant de la moindre de mes rougeurs... Elle passe encore parfois, déguisée en policier...

Une si petite chose... Avoir pris tant d'importance!
«Il ne faut pas jouer avec son petit bout!»

Une violence parfois... Je souris... Une violence qui n'est rien d'autre que la nécessité de rester seul pour un temps, pour faire la part des choses... Je colle bout à bout les bouts de ma vie. Un jour, je perdis mon corps... Je finirai bien par le retrouver...

Ce jour-là, peut-être pourrais-je les dire enfin, l'étoile et le soleil de chacun de nous... Et le bleu pur... Et saluer enfin, librement, la femme ma mère qui a changé, et m'en aller vivre.

Le vieux garçon

IL y avait longtemps qu'isidore M. n'était pas sorti de chez lui. Si longtemps, en fait, que lorsqu'il décida, cet avant-midi là, d'aller faire un tour dehors, il ne le put. La glace, une couche de glace de trois pouces d'épaisseur, avait complètement envahi le seuil de la porte extérieure de sa maison. Il aurait toujours pu, afin de venir y jeter quelques poignées de gros sel, emprunter l'autre porte, celle de derrière, qui, étant moins exposée aux vents, devait être libre. Il ne se donna même pas la peine de le vérifier. Il préféra revenir prendre sa place sur la chaise «berçante», près du vieux poêle à bois, où s'étaient installés, eux aussi, pour l'hiver, ses chats, ses quatre chats, Puce, Minette, Gros-blanc et Mélanie.

«Bah! se dit-il, le printemps finira bien par dégeler tout ça.»

Crouic!

«Et puis, qu'ai-je besoin de sortir?»

Crouic!

«N'ai-je pas ici tout ce qu'il me faut pour être heureux?»

Crouic!

Décidément, cette chaise avait besoin d'un peu d'huile. Ou alors, d'être bien revissée. Il y verrait «en temps et lieu».

«Chaque chose en son temps, un temps pour chaque chose.»

N'était-ce pas que sa mère avait l'habitude de lui dire quand il avait encore des mouvements d'impatience? C'est dans la Bible, dont elle leur lisait une page chaque dimanche, après le souper — à son père, à Reine, sa soeur aînée, et à lui —, qu'elle avait trouvé cette phrase. Le repas terminé, elle allait chercher ses verres et «le» livre, un vieux livre poussiéreux aux coins écorchés, qu'elle gardait précieusement dans un tiroir fermé à clé de la grosse commode du salon. Après être revenue s'asseoir, avoir mis ses verres et, en choisissant une page au hasard, ouvert le livre devant elle, elle commençait la lecture. Le père se croisait les bras. Eux, Reine et lui, écoutaient en silence. Parfois — c'était son seul vrai jour de repos de la semaine —, son père commençait à «cogner des clous».

«Joseph!»
Elle le rappelait à l'ordre.
Il s'ébrouait une seconde puis, bientôt, se remettait à somnoler.
«Joseph!»
Tant que le menton ne touchait pas la poitrine...!

De la poche gauche de sa chemise carreautée rouge et noire — celle qu'il aimait le mieux parce qu'elle avait su traverser le temps avec lui —, il tira sa blague à tabac pour se rouler une cigarette.

«En temps et lieu...»

D'une allumette de bois frottée contre le dessous d'un bras de sa chaise, il alluma sa cigarette, en prit une bonne bouffée.

«Cette année, se dit-il, ou plutôt se répéta-t-il, je cultive «mon» tabac...»

Cette grande décision, il l'avait prise l'automne précédent, quand il avait vu, étant allé chercher sa provision de tabac pour l'hiver, presque doubler le prix de ce dernier. Lui qui ne parlait pour ainsi dire jamais — non qu'il n'avait rien à dire mais justement parce qu'il en avait trop —, il y était allé d'un juron. D'un juron si épouvantable que l'épicière du village avait pâli et lui avait montré, d'un doigt indigné, sans dire un mot, tant sa colère la suffoquait, la petite pancarte sur laquelle on pouvait lire, en grosses lettres noires, qu'il était «interdit de blasphémer dans cet établissement». Isidore avait haussé les épaules. Il n'était pas irreligieux — quoique, depuis que le nouveau curé, un jeune blanc-bec à l'allure athlétique qui se voulait «à la mode», y avait fait entrer des guitares électriques, il n'allât plus à l'église. Mais il y a des limites à tout. Et puis, ne serait-ce pas son dernier pas dans sa libération du monde extérieur, ce monde extérieur qui ne venait lui parler que lorsqu'il avait quelque chose à lui demander ou à lui vendre...

N'avait-il pas réussi à se débarrasser, ces dernières années, tour à tour, du chauffage à l'huile — en ne se chauffant qu'au bois dont, chaque été, il se coupait de six à sept cordes — et de l'électricité. C'est de cette dernière qu'il avait eu le plus de difficulté à se libérer. Car s'il était facile de se passer de la radio et de cuire les aliments sur le poêle à bois, il était impossible de remplacer celle-ci dans le pompage de l'eau de puits. Aux grands maux, les grands moyens. Il s'était résolu à abandonner la pompe en inventant tout un système de gouttières et de réservoirs capables de recueillir et conserver l'eau de pluie. À la fin de l'hiver, si l'eau venait à manquer — ce qui n'était arrivé qu'une fois depuis l'installation du système —, il faisait fondre de la neige. Pour ce qui était de l'éclairage, se levant et se couchant avec le soleil, il n'en avait pas besoin. Pour les réparations, il y avait longtemps qu'il savait toutes les faire lui-même.

Il ne lui restait à payer, en tout et pour tout, que ses taxes de propriété, les revenus déclarés chaque année aux gouvernements n'étant pas assez élevés pour être imposables.

Crouic!

Un instant fasciné par la danse folle de la neige — une

petite neige fine et molle — qui s'était mise à tomber, l'esprit d'Isidore revient à sa méditation.

«Et d'ailleurs, tout ce qu'il y a dans cette maison, ne l'ai-je pas gagné à la sueur de mon front.»

C'était vrai. Tout ce qu'il y avait dans sa maison, c'est du seul travail de ses mains qu'Isidore l'avait obtenu. La preuve n'en était-elle pas qu'il connaissait par coeur la place de chaque chose qui s'y trouvait. Du grenier à la cave, pas un clou ou une braquette dont il ne connût l'existence.

«À moi, on n'a jamais rien donné. Alors pourquoi serais-je plus généreux que les autres?»

Les autres... Ils n'étaient jamais venus le voir que pour tenter de lui arracher un peu de l'argent si difficilement gagné qu'il pouvait avoir. Tous. Du premier au dernier. Même Reine qui, une fois l'an, vers le temps des fêtes, quittant son village perdu d'Abitibi où, quinze ans auparavant, l'amour l'avait fait suivre son «sans-coeur» de mari, venait le visiter. Seule, évidemment. L'année où, marchant sur son orgueil, elle lui avait avoué, en pleurant, la veille de son départ, que son Léo buvait et que c'était elle qui le faisait vivre, il s'était apitoyé. Il lui avait donné deux cents dollars. La seconde année, il lui avait prêté le même montant, allant même jusqu'à lui proposer d'abandonner son mari et de venir habiter avec lui. La troisième année, Reine n'était pas venue. Ce n'est que la cinquième année qu'il avait compris que, s'il ne lui avait jamais prêté d'argent, il aurait probablement conservé l'amitié de cette soeur pour qui, quand elle venait, il se faisait beau, comme s'il avait attendu une fiancée.

Tous. Du premier au dernier. Les autres...

Il avait bien eu un ami, une fois. Conrad P... Pauvre Conrad! Il s'était bien mis la corde au cou, celui-là, le jour de son mariage avec Marie B... Il le revoyait, la veille de ses noces, pleurant, lui, le «coureur de galipote», dont les exploits auprès des belles du village et des fermes environnantes, tout en lui faisant monter le rouge aux joues, le faisaient, chaque fois qu'il les lui racontait, mourir de rire.

«Mais pourquoi tu te maries, si t'en as pas envie?

Il revoyait son ami, les yeux baissés, tortillant entre ses doigts un bout de corde, dans ce coin précis de la framboiseraie où, l'année suivante, il avait trouvé une mouffette morte.

— Je ne sais pas... Je... j'ai... j'ai besoin d'elle... Je ne peux plus m'en passer...»

Il n'avait pas voulu assister à son mariage. La femme de Conrad ne le lui avait jamais pardonné.

Il y avait aussi eu Pauline. La si douce Pauline à laquelle il avait, pendant quelques mois, fait la cour. Le temps d'hésiter, on lui avait volé la seule femme qu'il pouvait dire avoir jamais aimée. Comme on aime la première fois. De cet amour dont on ne peut aimer qu'une fois.

Un instant, il y eut tumulte chez les chats.

Avant même qu'il ait eu à intervenir, tout était rentré dans l'ordre.

Les autres...

Des gens venaient encore frapper à sa porte parfois. Ce malgré qu'il eût placé une grande affiche: «Interdit d'entrer».

C'était de bonnes âmes naïves, des témoins de Jéhovah.

«Peut-être que si, une seule fois, quelqu'un m'avait donné quelque chose... Comme ça... Juste pour me faire plaisir... Sans rien attendre en retour...»

Même ses parents qu'il avait pourtant beaucoup aimés ne lui avaient jamais rien donné. Bien sûr, ils lui avaient fait cadeau de la vie. Mais était-ce bien un cadeau? Et, était-ce bien eux qui la lui avaient donnée? Sa mère ne lui avait-elle pas avoué, un jour de l'an où, par accident, elle s'était enivrée, qu'«ils» ne l'avaient pas vraiment voulu... qu'il avait été «une erreur de calcul»... Et encore riait-elle en lui disant cela... Le lendemain, en cachette, il avait déchiré en mille morceaux les quatre mouchoirs reçus en présent pour la nouvelle année... Et puis, ne travaillait-il pas déjà pour eux, à l'âge de douze ans, sur la ferme... Les jours et les semaines qu'il avait passés, à genoux dans la terre, à désherber le champ de patates... Il n'avait hérité d'eux, en somme, à part ce qui lui revenait comme naturellement — c'est-à-dire la terre et la maison —, que du principe précieux entre tous qu'il ne faut jamais rien donner puisque tout, dans la vie, n'est qu'échange.

«L'hiver est dur et long... Et ce ne sont pas les chansons qui...»

Il lui revenait en mémoire l'image de ce jeune chanteur aux cheveux longs, à l'air efféminé, tout habillé de cuir blanc, qu'il avait un jour vu à la télévision. C'est ce jour-là qu'il avait décidé de se débarrasser de son poste.

«Ouvre ton coeu-eur à l'a-amour!» beuglait le refrain du jeune chanteur.

«Comme si j'avais besoin qu'un jeune... un jeune... enfin, oui... vienne me dire quoi penser dans «ma» maison! Et dire que c'est moi qui nourris ça de mes taxes!»

N'était-il pas écrit dans la Bible que les Hébreux avaient été sévèrement punis par Dieu pour avoir adoré le veau d'or!

Le grille-pain électrique avait bientôt suivi la télévision. Puis la radio, le grille-pain. Puis...

Crouic!

«Je sortirai quand il sera temps d'aller retourner la terre. Pas avant.»

Crouic! Crouic!
Excédé, mais avec calme, il quitta sa chaise.
Il était temps d'y voir.

Clouc!
Clouc!
Clouc! Clouc!
Réparer la chaise avait été chose facile. Trop facile?

Ce matin, sans qu'il pût s'expliquer pourquoi, Isidore se sentait du vague à l'âme. Sans doute que s'il avait connu la cause de cette langueur qui, depuis qu'il s'était levé, le poursuivait comme une ombre, il n'aurait plus été triste. Mais il avait comme ça de gris moments. Des moments où c'était comme s'il avait «trop» et pas assez été là, en même temps. Et que rien ne pouvait empêcher ou arrêter. Ni travail, ni sommeil, ni printemps...

Car c'était, ce matin, un des premiers vrais jours du printemps. Le soleil n'avait-il pas envahi la maison dès six heures. Ce soleil qui, de jour en jour, s'enhardissait. Timide encore parfois. Comme ne sachant pas comment se faire pardonner sa trop longue absence du ciel. Comme hésitant entre sa fierté et l'amour du monde. La neige tombée la veille avait fondu. Quelques jours encore et la terre serait dégelée. Armé de sa bêche, il pourrait enfin se rendre au jardin et commencer à travailler. À «vraiment» travailler...

Clouc!

Après avoir réparé la chaise, Isidore s'était attaqué à la construction d'une table destinée à recevoir les boîtes à semis de tabac. Tout était allé de travers. Une distraction lui avait fait se donner un coup de marteau sur le pouce gauche. Une autre, plus grave celle-là, lui avait fait mal prendre les mesures de la table. Ce travail qui, normalement, lui aurait demandé d'une à deux heures lui avait pris toute la journée. Il était allé se coucher sans même avoir fait la vaisselle. Comme à bout de force. Un des chats en avait profité pour casser une assiette et deux tasses. Et puis, il avait rêvé toute la nuit. Des rêves aux images bizarres. Un surtout... revenu de très loin... De si loin qu'il en avait été, dans le brusque demi-réveil qui l'avait suivi, troublé...

Trois balayeuses électriques le poursuivaient en cherchant à l'avaler... Il se mettait à courir, à bout de souffle en quelques secondes, jusqu'à se rendre compte, dans une terreur blanche, qu'il courait sur place... Une des balayeuses s'approchait...

Un rêve qu'il avait fait quand il était petit, après avoir vu, dans un journal, une annonce publicitaire d'une compagnie d'appareils électriques et où l'on voyait trois balayeuses courant dans le vide...

S'était-il mal nourri, ces jours derniers? Ou la chambre manquait-elle d'aération? Pourtant, non...

C'est le seul rêve dont il se souvenait avec précision. Les autres...

Une tache de couleur rouge vif apparut au coin de la fenêtre.

«Pas encore eux!» se dit-il.

Mais pourquoi un malheur ne venait-il jamais seul?

Il songeait, en se faisant cette réflexion, à son pouce enflé et bleui qui l'empêchait presque de se rouler des cigarettes.

«En tout cas, printemps, pas printemps, s'ils viennent ici, je sors ma 303. Et cette fois, je tire.»

Sur la route qui passait à deux cents pieds de sa maison, les enfants du voisin faisaient la parade.

Il fallait donc qu'il fît très doux, dehors, ce matin...

Car ce n'était qu'aux premiers jours du printemps que les enfants D..., trop mal vêtus pour se risquer à l'extérieur par les temps de grand froid, se décidaient à sortir de la maison qu'ils ne quittaient, de la fin d'octobre à la mi-avril, que pour aller à l'école. Quand ils y allaient.

Les D. avaient dix enfants. C'est ainsi qu'en tête de la parade improvisée venaient, sur un char de bois à quatre roues et peinturé de rouge, les deux plus jeunes, Ralph et Leslie. Suivaient, sur un tricycle, John et, sur un vieux bicycle aux roues toutes tordues et s'arrêtant à tous les vingt pieds, Howard et Randy, l'aîné des garçons. Les filles, elles, April, May et June — les deux plus vieilles, dont il ignorait les noms, restant toujours à la maison avec leur mère —, couraient de chaque côté de la parade haute en couleurs et en cris, de longs bâtons à la main. Leur petit chien, lui — un mélange d'au moins douze races —, courait sans fin d'un bout à l'autre du cortège, si excité que, par instants, on aurait dit qu'il dansait. À les voir ainsi sur la route, on se serait cru à l'arrivée d'un cirque dans un village ou encore au passage d'un dragon dont chaque anneau aurait été d'une couleur différente. Et, sans doute que s'il n'en avait pas connu les acteurs, Isidore aurait, devant le spectacle enfantin qui, mieux qu'une hirondelle, annonçait le printemps, souri. Peut-être même aurait-il été, se rappelant ses jeux d'autrefois avec Reine, ému. Mais il les connaissait trop. Il les connaissait trop bien.

Au début, quand leurs parents étaient venus s'installer dans le rang, il les avait laissé entrer dans la maison, même s'il y restait toujours, après leur départ, cette épouvantable odeur d'urine et les taches qu'ils faisaient avec les mains et les pieds sur les portes, les murs, le banc, bref, partout où ils passaient. Tout heureux de voir sa maison peuplée d'un coup — jamais il n'y avait eu autant de monde —, Isidore laissait faire. Lui qui n'en avait pas — non parce qu'il n'en avait pas voulu mais parce qu'il n'avait jamais trouvé la femme à qui en faire —, il gardait, sur les enfants, toutes ses illusions.

Ils s'asseyaient autour de la table, chacun à «sa» place, lorgnant le plat de pommes.

«Cou'a'a'apple?» se risquait le premier l'aîné.

Car ils étaient si pauvres, s'en était un jour fait la réflexion, en souriant, Isidore, qu'ils «mangeaient» jusqu'à leurs mots.

Bientôt, le plat de pommes était vide et Isidore, sentant qu'ils allaient, comme les premières fois où ils étaient venus, se mettre à courir, en criant et en se chamaillant, dans la maison — les trois filles étant toujours les souffre-douleurs des garçons —, il les mettait à la porte.

Un jour d'automne, il avait découvert, au retour d'une cueillette de mûres dans le bois, qu'ils lui avaient vidé, pendant son absence, un pommier. Non seulement avaient-ils vidé l'arbre de ses fruits mais encore en avaient-ils cassé les plus belles branches. La preuve que c'étaient eux, les voleurs, était qu'ils n'avaient pas osé se montrer chez lui de toute une semaine. Un McIntosh qu'il avait planté avec tant d'amour! Un des plus beaux arbres de son petit verger! Et qui ne donnerait probablement pas de fruits avant des années!

Un instant, en découvrant le forfait, partagé entre sa colère et l'envie de pleurer, il avait failli aller se plaindre auprès des parents. Mais cela, il le savait, ne donnerait rien. Il se pouvait bien, après tout, que ce fussent eux qui avaient envoyé les enfants voler les pommes... Leur réputation de voleurs ne s'étendait-elles pas à des milles à la ronde! Peut-être ne s'étaient-ils pas encore attaqués à lui simplement parce qu'il était leur voisin!

De ce jour, les enfants D... n'avaient plus mis le pied dans sa maison. Finies, les faveurs, finis, aussi bien, les longs nettoyages suivant chacun de leurs passages chez lui. Finie aussi, la longue sélection des pommes devant composer «leur» plat!

Il leur avait même interdit l'accès à son terrain.

Croyant qu'il ne s'agissait que d'un jeu, ne voyant pas, ne comprenant pas qu'ils l'avaient blessé au plus profond de son âme, ils avaient ri, essayant de reprendre leurs courses et leurs danses folles d'autrefois. S'il avait accepté le bouquet de fleurs jaunes apporté un après-midi par la plus jeune des filles, April, ce n'avait été que pour ne pas la blesser. Aussitôt l'enfant partie, il avait jeté le bouquet à la poubelle.

N'avaient-ils donc aucune mémoire?

Ils les avait alors menacé de la police.

«You don'even ha'a'car...!» avait ricané l'aîné des garçons, dans un sourire mauvais.

Il avait été à deux doigts de l'assommer.

Ne sachant plus que faire, un avant-midi, en les voyant s'avancer sur le terrain, calmement, sa 303 en mains, Isidore était sorti sur la galerie et s'y était assis.

Les enfants avaient rebroussé chemin. Cette fois, ils n'étaient plus revenus.

«La glace dans la porte!» songea-t-il tout à coup.

Il fallait, si les enfants tentaient d'entrer sur le terrain, que la porte fût libre. Il courut chercher le gros sel et, empruntant la porte de derrière, vint pour en jeter sur le seuil prisonnier. La glace avait fondu.

Sur la route, la parade était depuis longtemps retournée sur ses pas.

Comme il avait oublié, dans sa hâte, d'en prendre la clé, il dut, pour y rentrer, faire le tour de la maison.

C'est juste avant d'en tourner le deuxième coin qu'il aperçut, à l'autre bout du champ, à la lisière du bois, cet objet brillant d'une lumière étrange...

«Si c'était vrai...! Si c'était vrai...!» se dit Isidore, en proie à une agitation si extraordinaire qu'il avait, ce matin, préféré une chaise droite à sa chaise «berçante». Il lui semblait qu'il y serait plus facile de réfléchir et de garder son sang-froid.

Rien à faire. La vision qu'il avait eue la veille n'était-elle pas la plus belle de sa vie! Il n'en avait pas dormi de la nuit.

«Si c'était vrai!»

Une larme lente et longue lui glissa du coin de l'oeil. Il l'écrasa d'un doigt, mais sans l'essuyer, tout au bonheur de se sentir les yeux pleins d'eau. Car il ne pleurait pas de chagrin, il pleurait de joie. Pour la première fois de sa vie, Isidore pleurait de joie.

D'ici quelques minutes, il aurait choisi entre dire que ce qu'il avait vu n'était qu'une folie ou alors, ce que, depuis toujours, il avait, dans le secret de son coeur, là où personne ne s'était jamais rendu, espéré. Toujours, est-ce que ça ne voulait dire, parfois, toute une vie...?

«Toute ma vie...! Et c'est maintenant que ça m'arrive! À quarante-trois ans!»

La veille, en apercevant cette lueur scintillante à la lisière du bois, il n'avait pas tout de suite fait le rapprochement entre celle-ci et la lueur de son rêve de la nuit d'avant. Ce n'est que vers le milieu du champ — après être rentré enfiler ses bottes de caoutchouc et une chemise de flanelle car, malgré sa douceur, l'air était encore frais — qu'il avait commencé à se sentir transporté, exactement comme si une force inconnue lui donnait des ailes, dans son rêve oublié. Celui qui venait juste après le rêve des «trois balayeuses».

Près d'un objet de métal jetant mille et un feux, une petite fille à la longue chevelure blonde et aux yeux d'un bleu troublant et comme parsemé de paillettes d'or levait les yeux vers lui en souriant. Puis elle disait:

«Si tu veux croire en moi, il te suffit de croire, je t'emmène avec moi...

— Où? demandait Isidore, comme malgré lui.

— Là-bas...!» répondait la petite fille, en montrant le ciel de ses yeux.

Or, c'était exactement la même scène — même petite fille, mêmes mots — qui s'était répétée quand Isidore était arrivé au bout du champ.

Cette fois, la petite fille avait même ajouté:

«Je te donne tout un jour pour y penser... Je serai ici, demain, à la même heure... Et, souviens-toi, il suffit de croire en moi...»

Elle était alors montée à bord de l'objet brillant — un petit vaisseau spatial à deux places en forme de capsule — et bientôt, dans un pli lointain du ciel, sans un bruit — c'est cela qui avait le plus fait douter Isidore —, avait disparu.

Après s'être dit qu'il était devenu fou, Isidore s'était frotté les yeux, pour être sûr qu'il ne s'agissait pas d'un rêve. Lui qui, depuis des années, vivait comme s'il n'avait pas de corps, il s'était ensuite pincé un bras, jusqu'à en avoir un bleu énorme.

Mais non. Au risque de perdre la raison, il devait l'admettre, il avait bel et bien vu la petite fille. Celle que, tant de fois déjà, en rêve, il avait imaginée. Et pas seulement en rêve, dans la réalité tout aussi bien. Celle qui, par la force des choses, était devenue la confidente de ses peines, de ses problèmes, de ses bonheurs, quand il en avait, celle avec qui il pouvait être lui-même, tel qu'il était, avec ses défauts, ses peurs, ses colères d'autant plus violentes qu'elles étaient rares.

«Bah! si elle ne vient pas, je saurai que ce n'était qu'une illusion...»

Encore lui faudrait-il être là pour le vérifier...

Il s'en voulut aussitôt de sa méfiance.

«Souviens-toi, il suffit de croire...»

«J'y vais... Il faut que j'y aille...»

Il avait déjà hésité une fois dans sa vie. Et qu'est-ce que ça lui avait donné? Il avait perdu la femme qu'il avait le plus aimée, la douce Pauline. La Pauline devenue si laide, en si peu de temps...

Qui sait, peut-être était-ce pour lui la dernière chance de connaître enfin l'amour... La petite fille était de plusieurs années plus jeune que lui. Qu'importait? Est-ce que l'amour connaît le temps? Et puis, tout n'était-il pas magie? Est-ce que, les dimanches d'autrefois, sa mère n'ouvrait pas toujours «le» livre à la bonne place? Et n'avait-il pas trouvé, un an après son mariage, une mouffette à l'endroit précis où Conrad lui avait avoué que sa femme le menait par le bout du nez? Qui pouvait seulement lui expliquer le mystère de la plante qui pousse? Ou celui du feu? Ou celui des étoiles revenant chaque nuit à la même place dans le ciel? Et...

Il quitta sa chaise. Au cas où il ne reviendrait pas avant trois jours, il laisserait de quoi manger aux chats pour ce temps. Et puis, il se ferait beau pour le rendez-vous...

Deux jours plus tard, à cent milles de là, on retrouvait Isidore M..., au fond d'un fossé, mort. Il s'était cassé le bras droit en tombant.

«Comme s'il avait «chuté» de très haut...», ne put s'empêcher de remarquer le médecin qui vint constater le décès.

C'est Madame C..., l'épicière, qui vint l'identifier à la morgue.

Lui qu'elle n'avait jamais vu sourire, il souriait «aux anges, comme un enfant qui dort», confia-t-elle aux demoiselles P..., ses meilleures amies, encore toute remuée par la céleste vision.

«Il y a des vies comme ça...!» avait-elle conclu, en poussant un soupir.

Le printemps suivant, les nouveaux locataires de la maison trouvaient, au bout du champ, attirés là par une lueur étrange, les débris d'une vieille télévision à l'écran tout percé de balles de 303.

Six cokes pour Rita

LE ciel était jaune. Il bruinait.

À quelques pieds de moi, dans l'herbe, blanc, carré, comme phosphorescent, il s'offrait. Je n'ai pas résisté. Cette fois, je n'ai pas résisté. Le petit papier qui, depuis quelques secondes, me fascinait, je me suis penché, je l'ai cueilli.

La femme noire qui attendait l'autobus avec moi m'a regardé drôlement. Ce qu'elle pouvait penser me laissait indifférent. Il y a longtemps que je sais que les gens, dans la rue, surtout vers cinq heures du soir, pensent drôlement. Je le sais pour l'avoir moi-même fait très longtemps, du temps que je travaillais encore, où, pendant le trajet d'autobus de la manufacture à chez moi, la seule chose qu'il me restait la force d'imaginer était mon lit.

Plié en quatre, il était sous mes doigts. En l'ouvrant, mon coeur battait.

Depuis quelque temps, en effet, je lorgnais tous les papiers qui s'offraient à ma vue un peu partout. Dans les couloirs de métro ou de places publiques, autour des arrêts d'autobus ou des poubelles, sur les trottoirs. Était-ce espoir de trouver parmi eux, à un moment donné, le portefeuille anonyme, perdu et gonflé, qui me permettrait enfin de partir en voyage? Etait-ce encore désir de ressembler à un de ces vagabonds dont, mon amour de la liberté l'emportant peu à peu sur ma conscience sociale, j'enviais secrètement les vies? Ma quête était plus modeste et, en même temps, plus ambitieuse. C'est une amie qui m'avait donné un jour l'idée, géniale à mon point de vue, d'écrire une histoire simplement en collant bout à bout, au hasard, tous les petits papiers que je trouverais pendant une semaine.

L'idée avait fait son chemin. Tous ces papiers qui traînaient, ou jetés là négligemment, ou perdus, blancs, roses, verts, jaunes ou bleus, secs ou mouillés, chiffonnés ou propres, vrais ou faux, tendres ou cruels, ne composaient-ils pas, au fil même de leur désordre, la vraie mosaïque du quotidien? N'en étaient-ils pas comme l'écume ou les fleurs, ou les champignons! Jusque-là, soit que le regard de la foule m'eût arrêté, soit que, pris aussi au jeu de la dignité, j'eusse trouvé cela «déplacé», je n'avais osé en ramasser un. La tentation était pourtant forte. En un temps où il est devenu presque impossible, tant tout va trop vite, de former une pensée qui dure plus de quelques jours — voire quelques minutes —, la suggestion de mon amie était peut-être la solution à mon long et de plus en plus creux silence... Imaginez! Un silence où j'étais allé jusqu'à me demander si j'avais déjà ri ou parlé autrement que par peur... Au fond, mieux qu'une pensée voulue et dirigée, sentant l'effort et, qui pis est, individuelle, tous ces papiers ne contenaient-ils pas l'essence la plus pure du réel... Brute peut-être mais précieuse... Pour moi, en tout cas, qui, ayant toujours eu tendance à m'évaporer au premier signe de ce que je n'aime pas, ai, malgré tout, un besoin perpétuel, une faim, une fringale d'informations neuves. Bref, c'était la première fois que je me laissais aller publiquement à ma passion nouvelle. Ma passion nouvelle... Sans doute moins forte que celle que je venais de vivre avec Rita X, dont je sortais à peine... Quand on a failli devenir fou et qu'on se retrouve seul — ô combien merveilleusement, délicieusement seul! — on fait son bonheur d'une passion simple. Paresseuse? Peut-être. Facile? Sans doute. Mais ce n'est que parce qu'on se voit encore par les yeux des autres, ou d'un autre (possiblement celui qu'on était). Si, de toute manière, on ne sait pas qu'une passion qu'on vit seul est moins intense qu'une qu'on vit à deux...! Pourvu que celle qu'on a choisie ait son petit rien d'originalité... La mienne, c'était maintenant les petits papiers.

En lisant, je pâlis.

On me croira ou on ne me croira pas. Il y avait écrit sur la feuille qui tremblait dans ma main comme un lambeau de chair reprenant vie peu à peu de ma chaleur: «Six cokes S.V.P. Rita». Exactement les mêmes mots que, la veille de notre violente rupture, six mois auparavant, elle avait écrits, pour que je n'oublie pas d'aller au restaurant du coin pour elle... Rita... Adorée Rita! Aïe Rita! Les mêmes mots. Pure coïncidence? Message d'un frère lui aussi, à son tour, perdu dans la nuit?

Je commencerai donc, comme on dit, par le commencement puisque, ne pouvant poursuivre ma nouvelle passion pour l'instant, il semble que je doive, pour tenter de finir de la vivre, raconter celle qui fut tout de même une des plus grandes de ma vie.

On vit seul, au jour le jour, dans un petit deux-et-demie qu'on loue au mois. Le lieu est ensoleillé. Les voisins, inexistants (ce qui veut dire qu'on peut faire autant de bruit qu'on en a envie). On a ses chats, ses plantes, quelques habitudes. On a juste l'essentiel. On sait que trop de possessions, comme trop de passé, finissent par alourdir. On a la chance d'aimer le travail qu'on fait. Pas toujours aussi honnête qu'on le voudrait mais puisqu'il faut aimer tout ce qu'on fait. On travaille d'ailleurs le moins possible. On a parfois les bleus. Bizarrement, ces jours-là, on se sent vieux garçon ou vétéran. Un ami vient nous voir. On va voir un ami. On fume un joint ou deux, on boit une bière ensemble, on parle pour parler. C'est parti. C'est oublié. Jusqu'à la prochaine fois. On a parfois de petites aventures qu'on ne prend pas au sérieux. On est seul. On est heureux. On est libre. Toujours prêt à partir, toujours disponible.

Un soir, en écoutant une chanson au restaurant où l'on va quand on en a assez de chez-soi, crac!, ça y est, brusquement, le démon entre dans notre vie (on ne le sait pas encore, parce que si, à ce moment-là, on savait...). Le démon... Quel démon? Le démon de l'amour, bien sûr. C'est un mot que jusque-là, on n'avait pas compris, une phrase dont on n'avait pas saisi tout le sens... Qui murmure des choses comme: Qu'est-ce qu'une vie sans amour? Ou: Je n'étais rien avant toi... On s'arrête au beau milieu de sa patate. On est troublé. C'est un jour comme ça où l'amour flotte dans l'air. Un couple d'amoureux passe dans la rue. En même temps, à la télévision du restaurant, passe un commercial qui dit: Ne doutez plus... C'est maintenant possible... Grâce à... On se regarde. Pour la première fois, on se demande... On se dit que peut-être on n'est pas si heureux qu'on le croyait... On commence à se poser des questions... Petites, d'abord... Puis, grandes... Comme: Qu'est-ce que le bonheur? À quoi sert une vie sans amour? Qu'est-ce que la femme? La Femme... C'est ça, c'est bien ça qui manque dans notre vie... Une femme... À qui tout dire, avec qui tout partager...

Pourquoi pas moi?
Les trois mots de trop sont lâchés.
On est insatisfait. On est fait.

On commence à rêver. Dans un brouillard rose étoilé, elle nous apparaît... Elle est là... C'est elle... Oui, c'est elle! Descendant lentement les marches de l'escalier du ciel... Divine, superbe, sublime, irréelle... Tout de voiles de mousseline enveloppée... L'escarpin léger... On la touche déjà... On murmure un nom doucement, n'importe lequel, pour essayer, pour voir si elle ne va pas s'incarner... Marie! C'est par hasard le nom de la serveuse qui accourt aussitôt (il n'y a presque pas de clients, ce soir-là)... On prend une deuxième patate... qu'on ne mange pas... Comme si on pouvait encore avoir le coeur à manger... Au fond, Marie, c'était un nom banal... On en essaye un autre, plus mystérieux: Indrig... Elle réapparaît... Celle qu'on attendait depuis toujours (on est tout surpris de l'apprendre)... Celle qui nous attend là-bas, quelque part, ailleurs, dans un autre pays peut-être... Ce sont visions roses, bleues et dorées... neige de pétales dans les yeux, qu'on ouvre... On se regarde encore... Qu'on est mal habillé! Qu'on est indigne d'elle! Les ongles... quelle honte! Et les cheveux... Il faut y voir.

On paye les deux patates et son coke. On rentre chez soi en état d'exaltation... Comme tout est gris, laid, sale et petit ici! Et que le lit est vaste! Comme elle y aurait sa place... Il faudrait tout changer... Tout colorer d'elle, de son rire, de sa présence chaude, enjouée, malicieuse... Elle... À la réflexion, il vaudrait mieux trouver une jeune fille qu'une femme trop expérimentée... Enfin, on verra... On finit par s'endormir... Le coeur fou d'espoir et triste un peu aussi... Triste d'avoir vécu si longtemps seul, sans elle... On connaît son premier vrai tourment... On a trop pensé, il faut payer.

Le lendemain, c'est un samedi. On téléphone à sa grande soeur pour lui demander conseil. On court s'habiller en neuf de la tête aux pieds... On s'achète un Playboy... On revient chez soi. L'argent qu'on avait mis de côté y est presque tout passé... Tant pis! On va être beau. On se lave. On se rase. On se peigne. On va jusqu'à se parfumer d'un soupçon de musc. On se regarde dans le miroir de la pharmacie. Pas mal mais ça pourrait être plus, plus... En tout cas, ça pourrait être mieux... Avec l'expérience, ça finira bien par venir. On sort.

La première fois, on rentre seul. On n'avait pas la manière. On ne savait même pas où aller. Et plus assez d'argent pour une deuxième bière, dans ce bar du centre-ville où le service est si rapide. Et puis, dans ses vêtements neufs, on se sentait un peu mal à l'aise. En fin de semaine prochaine... En fin de semaine prochaine! Avec un peu de volonté... À moins que j'emprunte quelques dollars pour sortir demain soir...?

Un jour, une vous fait la grâce d'un mot. On est propulsé hors du temps et de l'espace. On voulait embrasser le ciel, la terre, la mer et les étoiles. On revient ici-bas. Elle a déjà disparu. Le Mexicain moustachu de la table voisine aussi. On se demande si on ne l'a pas effarouchée. Ça pourrait être une technique, tiens, avec la prochaine...

Jouer à lui faire peur pour n'en être que plus tendre par la suite... On pousse un gros soupir...

Tout ce temps on ne s'est pas rendu compte qu'on était une victime de la société de consommation et que découvrir son soi, dans ce monde, c'est le plus souvent ne le découvrir que pour mieux le vendre ensuite. À moins de le donner. Ou à moins de se taire, ce qui ne mène évidemment pas bien loin.

La première fois que j'ai rencontré Rita, c'était à la buanderette où j'allais chaque semaine, depuis que je n'habitais plus avec ma mère, faire mon lavage (ç'avait été la deuxième étape de ma libération de la femme, la première ayant été d'apprendre à faire la cuisine).

Mon linge était dans les laveuses et, depuis une minute, je m'amusais à lire les messages épinglés sur le babillard de l'endroit — des messages comme: Attention! Robe de mariée flambant neuve à vendre. Portée une seule fois. Téléphoner à... — quand, soudain, j'entendis un bruit épouvantable derrière moi. C'était elle qui essayait de sortir un coke de la machine qui, pour une raison ou une autre, ne voulait pas lui obéir. Trop heureux de l'aider — je suis d'une nature «galante» —, je m'approchai.

«C'est la machine qui...», commença-t-elle.

D'un geste impératif de la main — mais qu'est-ce qui me prit? —, je fis signe que tout allait s'arranger. Moi qui n'en ai ni la carrure ni l'esprit, je jouai les hommes forts. Est-ce le geste qui devait plus tard me perdre? Quand je lui tendis la monnaie de son vingt-cinq sous et sa bouteille, elle souriait. Est-ce son sourire — ou la solitude où j'étais depuis trop longtemps, comme je l'ai déjà expliqué — qui déclencha, si je puis m'exprimer ainsi, le mécanisme de l'amour en moi? Rita ne correspondait pourtant en rien à mon idéal de femme... J'ai toujours imaginé pour maîtresse possible une femme légère, souple, subtile, élégante jusqu'au bout des ongles, vaporeuse, à la fois vive et sensuelle... Elle était presque le contraire de tout cela... Un peu grasse, un peu gauche... Jolie, certes, mais pas ce qu'on peut appeler une «belle femme»... Peut-être devrais-je admettre qu'elle était la femme que je méritais... Je dois ajouter que je n'avais plus grand-chose à perdre, toutes celles à qui j'avais fait les yeux doux ou exprimé — avec trop de feu sans doute — le désir de donner, s'étant, je n'ai jamais su pourquoi, détournées de moi... Après les autres, c'est moi qui avait commencé à me poser des questions sur mon compte. Il y a ceux qui s'ajustent du premier coup au réel... Il y a ceux qui ne s'y ajustent jamais. J'étais peut-être de ces derniers... Pourtant... Je n'étais pas laid... Je n'étais pas idiot... Je n'étais pas riche et j'avais peu d'ambition, il est vrai... Mais ce ne pouvait être une raison... Alors? Alors, qu'est-ce qui pouvait faire que celles que j'adorais m'ignorent et que celles que je n'aimais pas s'accrochent à moi des semaines durant... Qu'est-ce qui, dans mon image, ne tournait pas rond? Que voyait-on en moi? Qui? Un père? Un enfant? Un grand frère? Ou quel monstre?

Je relevai les yeux vers elle. Elle souriait toujours. Quelque chose nous arrivait. Mais quoi?

«Je m'appelle Rita... Et toi?
«Michel...»

Le ton sur lequel elle dit ces mots! D'une simplicité, d'un naturel tels qu'ils faillirent me couper le souffle... Elle était peut-être celle qu'inconsciemment je cherchais depuis toujours...

Pendant qu'elle mettrait son linge dans les laveuses, je l'écouterais. Elle me raconterait — moi n'ayant plus d'yeux que pour elle — qu'elle habitait avec une amie, qu'elle travaillait comme vendeuse de roses les fins de semaine... Quand mon linge serait sec, elle m'aiderait à le plier. Je lui rendrais le même service. Nous ferions un bout de chemin ensemble, l'un et l'autre éblouis de ce qui nous était arrivé. Nos sacs de polyéthylène vert dans les mains, je nous imaginerais comme des amants de l'an 3,000.

Le même soir, nous irions au cinéma, Rita, son amie Shirley et moi...

Ah! Rita, Rita, Rita! Qu'il allait être doux, le temps de nos amours! Si doux que souvent encore, en plein jour, au milieu de la ville, j'en ai des retours! Aperçois-je sur la rue une jeune fille qui a tes cheveux? Du moins ceux que tu avais... Blonds et courts, en mèches folles, à la gavroche... Longtemps je peux la suivre. Je la bois des yeux. Elle se retourne. Le charme est rompu. Parlé-je de toi à un ami? Je dis: «Elle avait les yeux bleus...», mais je sens que c'est peine perdue, que je n'arriverai pas à lui faire comprendre. Une porte, la moindre porte s'ouvre-t-elle? Je te retrouve... Je te vois... Je nous vois... Est-ce que je rêve? Même pas.

Assis dans un coin de la chambre, je fume et je songe. Tu n'as plus l'air enfantin, ces grands yeux curieux, à fil d'âme, que tu avais tantôt, pendant l'amour... Tu as déjà l'air soucieuse... À quoi penses-tu? J'ai dit que j'aimerais bien aller au cinéma... Tu me glisses dans la main un billet de deux dollars... Tu me dis que ça ne te tente pas mais que si je veux y aller seul... Que, de toute manière, tu as des choses à faire... Je t'ai dit que ça me gênait d'accepter ainsi ton argent, moi qui n'en ai presque jamais... Tu m'as dit: «Ça ne fait rien, quand on s'aime, on doit tout partager...» J'hésite... Tu insistes... Tu me dis que la dernière fin de semaine fut miraculeuse pour toi... Il faisait beau... Tu as vendu toutes tes roses... Je dis: «Bon! c'est de l'argent que tu me prêtes...» Et j'écris dans un petit carnet noir tout ce que je te dois... Je te dis mes besoins comme je t'ai d'ailleurs tout dit de moi... Que si je ne travaillais pas, c'est que je n'avais pas encore trouvé un travail intéressant... Que, par ailleurs, je ne voulais pas entrer dans la course à l'argent... Que si jamais j'y entrais, ce ne serait plus moi... Qu'avoir les cheveux longs, ça gardait chaud en hiver... Que ne rien faire et faire le rien n'étaient pas la même chose... Que ce que j'aimais, avec toi, c'était justement pouvoir être naturel... N'avoir rien à prouver... Être moi... À tout instant, tout le temps, n'importe comment... Qu'entre homme et femme, je trouvais idiotes toutes ces différences imposées par la société... Qu'entre avoir et être des enfants, il faut choisir... Qu'un jour, peut-être, nous pourrions en avoir... Mais qu'il nous fallait d'abord vivre notre propre enfance jusqu'au bout... Pour avoir quelque chose de neuf à donner... Ou, sinon de neuf, de vécu... Que de toute manière, il fallait être fou pour aimer...

En ai-je trop dit? Peut-on trop en dire comme trop aimer ou aimer trop vite? Mais est-ce aimer trop vite que de vouloir se rendre le plus tôt possible au bout des petites idées qu'on s'est faites de la vie ou de l'amour, ou de soi? Au bout où tout recommence à zéro, sans cesse... Sans souci de garder quoi que ce soit pour l'avenir, vivant au jour le jour, à même nous...

Rita, écoute! je sais bien que je parle tout seul, que je suis à jamais sorti de ta vie — de l'orbite où jonglait l'ange de nous —, que tu vas te marier la semaine prochaine — c'est ton amie Shirley rencontrée il y a quelques jours qui me l'a appris — mais souviens-toi! Les jours où nous nous sommes aimés... Les jours? Il n'y avait même plus de temps... Nous étions le temps et l'espace l'un de l'autre, tour à tour... Était-ce chez toi ou chez moi? Nous étions chez nous partout, souviens-toi! Il n'était question que de tomber en enfance le plus doucement possible, comme les enfants que nous étions jouaient à mourir, quand ils étaient petits... Parce que nous nous aimions, nous étions amoureux fous de la terre entière... Et nous découvrions partout, comme les facettes d'un diamant que tu auras voulu, par peur de le perdre peut-être, accrocher à ton doigt, des angles, des axes, des astres neufs... Souviens-toi de la première fois où nous nous sommes touchés, où nous avons penché, toi et moi, jusqu'à la cinquième dimension... Souviens-toi! Le premier jour, nous irions au cinéma... Je te traduirais le film — anglais comme le mari que tu vas prendre et que tu prends peut-être parce que tu ne comprends pas tout ce qu'il te dit — à mesure... Après, nous irions au restaurant, et après, chez toi... Parce que c'était ta passion, je boirais — moi qui avais toujours craint de le faire parce qu'on m'avait dit que ça donnait des boutons — du coke avec toi. Un coke, deux cokes... Du coke à la folie... Le lendemain, chez toi, sans Shirley entre nous, tu serais ma première, ou presque... Je serais ton «vrai» premier... Comme nous nous aimerions bien! Comme la vague de feu du premier instant nous emporterait haut! Trop haut! Ce serait l'apocalypse...

La fin du monde... Rita! Qu'il serait doux mais court, le temps de nos amours!

Qu'on essaie, tôt ou tard, de faire un objet de qui l'on aime, c'est une loi de l'amour que j'ignorais encore. Je dis «une loi de l'amour», je devrais ajouter «dans la société de consommation où nous vivons», moi qui ai toujours rêvé de vivre dans une société nouvelle... Une société où l'homme et la femme seraient des égaux... Où les rôles de l'un comme de l'autre seraient choisis selon les goûts ou les aptitudes de chacun... Où, par exemple, pendant que la femme irait travailler, l'homme ferait la cuisine, le repassage, le lavage... Rêve insensé? Manque de réalisme? Esprit de réaction aux traditions? Peur du présent? Refus des responsabilités? C'est à partir du moment où Rita commencerait à vouloir me changer — c'est-à-dire, ayant découvert mes talents de cuisinier, à vouloir absolument me faire étudier pour en devenir un — que notre amour prendrait l'eau. Je lui avais vaguement parlé d'un projet de roman. Elle essaierait de me convaincre de ce que je savais déjà. Que ça ne paye pas nécessairement... Que c'est un travail fou... Que, là comme ailleurs, la compétition est forte... J'avais eu beau chercher à lui faire comprendre qu'au point où j'en étais, n'ayant pas encore découvert ma voie, l'important était de me découvrir moi-même...

Ce jour-là, un vendredi, en me levant — il était trois heures de l'après-midi —, je me rendrais compte de son absence. Elle serait probablement allée voir Shirley avant de se rendre au travail... En entrant dans la cuisine, je trouverais un dollar et une note sur la table: «Six cokes. S.V.P. Rita.» À moitié endormi, je glisserais le papier dans ma poche et l'oublierais... Le soir, en entrant, après m'avoir dit bonsoir, elle irait au frigo... pour le trouver vide. À cette heure-là, le restaurant serait fermé. Ce serait la goutte qui ferait déborder le vase... Les derniers jours, en effet, s'étant mis je ne sais quelle idée en tête, elle serait souvent revenue à la charge avec sa suggestion de me faire étudier l'art culinaire... Il aurait même été question, dans une conversation, d'une petite maison de campagne... Moi, à chaque fois, je me serais esquivé... Avec les mêmes frémissements nerveux du cheval sauvage à qui l'on aurait demandé de courir... Elle viendrait me trouver...

«Tu n'as pas acheté «mon» coke?
— Ton coke?
— Mais oui, je t'avais laissé un dollar et une note sur la table, cet après-midi...
— J'ai...

L'après-midi, j'étais sorti. Ayant tout oublié de la note, j'avais, pour m'acheter des cigarettes, dépensé le dollar... J'aurais pu lui répondre: «Viens, désormais, c'est moi qui serai ton coke...» Mais on ne pense à ces subtiles réparties qu'après, quand il est trop tard...

— J'ai oublié...

— T'as oublié... T'as oublié... Dis plutôt que tu as dépensé le dollar à autre chose...»

Le ton s'envenimerait. Une passion l'emporterait sur l'autre. Nous nous dirions les choses les plus injustes. J'aurais droit à tous les noms de la terre. Une bouteille de coke vide allant se perdre par une fenêtre fermée mettrait un point final à la discussion. Un instant, nous nous regarderions, étonnés et navrés, nous demandant comment nous avions pu en arriver là. Elle rentrerait chez elle. Moi, en moi...

Ce serait le début de ma chute. À mesure que le temps passerait et qu'elle ne reviendrait pas et que j'espérerais, en réponse à mes lettres, le bruit de son pas dans l'escalier ou de ses doigts sur la porte, je descendrais de plus en plus creux dans ma solitude d'avant elle — et pourtant pas la même —, dans mon silence... Les semaines de son absence — ou plutôt de ce qu'il restait de sa présence — seraient les plus noires de ma vie... Comme si, après une fête éblouissante, on avait mis le feu à la maison où elle s'était donnée, pour en marquer à jamais la mémoire des invités... Notre amour aurait été court? Nous aurions beaucoup appris... Moi, en tout cas. J'aurais appris qu'on ne sait jamais et que c'est presque toujours par erreur qu'on apprend... Que si le geste un peu faux posé par moi à la buanderette ne l'avait pas été, je n'aurais peut-être pas connu Rita... Que si je n'avais pas oublié d'acheter ses six cokes, nous n'aurions jamais pu découvrir qu'en fait nous n'étions pas faits l'un pour l'autre.

Une nuit, je ferais ce rêve. Je me verrais tout petit au fond d'une bouteille de coke. J'essaierais en vain, pour m'enfuir, de grimper le long des murs de ma prison de verre. Soudain, une tache immense, rose et blonde, à deux points bleus, s'approcherait et, prenant la bouteille, la porterait à ses lèvres. Inutile de dire en quel état de panique je m'éveillerais. Ce serait le paroxysme libérateur.

Pour payer la vitre brisée le jour de ma dispute avec Rita, je travaillerais. Aimant un emploi pour la première fois, je le garderais. Jusqu'au jour où, le moi me revenant — un moi souvent prétentieux, mais précieux —, acceptant finalement le fait que même si on le voulait, on ne peut pas aimer tous les gens, et qu'il faut choisir, l'idée donnée un jour par une amie, celle des petits papiers, comme une lueur phosphorescente dans la nuit, me reviendrait. J'espère seulement avoir respecté le génie de la seule femme qui ne m'ait jamais rien demandé. Peut-être parce qu'elle n'est que ma mère...

Qui sait, si Rita ne s'y était pas lancée la première, c'est peut-être moi qui aurais essayé de la changer.

Le roi de rien

J'EN aurais long à dire. Très long. Mais voilà, je ne sais pas par où commencer. Et tant qu'à ne pas tout dire, ou à n'en rien dire que la moitié, je me dis qu'il vaut mieux me taire. Pourtant, ça non plus, je ne peux pas. Il y a comme cette force folle, ce feu dans le fond de ma gorge, très creux, qui jaillit malgré moi, n'importe comment, tout le temps. Pour rien. Comme ça. C'est comme un coup de poing qui ne s'arrête jamais. Si je ne dis rien, tout se ramasse au fond, et se met à tourner, tourner, tourner... Si ça ne sort pas, ça pourrit. Et je suis malheureux. Parfois, mais parfois seulement, je touche le silence, j'atteins le vrai silence. Alors rien ni personne ne peut me rejoindre. Je suis bêtement heureux, heureusement bête, tendre et doux. Ça ne dure pas. Toujours, avec violence, le besoin de parler me revient. Et s'il n'y a personne, je parle avec les choses. Ou les animaux, quand il y en a. À voix haute, comme ça, parce que ça me fait du bien. Je parle, je dis n'importe quoi. Pour parler. Par instinct. Pour habiller mon silence. Des fois, c'est en pleine nuit que ça me prend. Alors, je sors dans la rue. Il neige. Tout dort. À trois heures du matin, les rues sont vides, l'hiver. C'est comme un mauvais rêve. Je rentre. Je me tourmente. Je me dis que ça va passer. J'allume une cigarette, j'ouvre la radio. Je m'assieds. Je mange, puis je dors. Il n'y a rien à faire. Sans doute je suis fou. C'est ainsi. Rien à faire.

J'en aurais long à dire. Dire surtout que le silence est lourd, si lourd. Lourd comme un hiver. Et sourd comme lui. Comme l'air quand il neige. Je suis fou, c'est à n'en pas douter.

Il n'y a pas longtemps, j'avais une amie. Elle ne parlait jamais. Mais quand je parlais, moi, elle m'écoutait. Elle avait des yeux doux. Des yeux aussi doux que sa peau. Des yeux bleus. Elle ne parlait jamais mais elle m'écoutait. À elle, je pouvais tout dire. Tout. Tout ce qui me passait par la tête, n'importe comment, comme ça venait. Elle prenait tout. Quand je la quittais, après, je me sentais bien. Un jour, j'ai voulu la toucher, pour voir si sa peau était vraiment aussi douce que ses yeux. Elle s'est levée, a mis son manteau, et n'est plus revenue. Elle n'est pas revenue. J'ai attendu quelques jours puis, quand j'ai vu qu'elle ne reviendrait plus — comme si je l'avais blessée, rien qu'à la toucher —, j'ai recommencé à parler aux choses. Je l'avais rencontrée au restaurant du coin. Elle s'appelait Nicole. C'était une drôle de fille.

J'ai appris à parler à tout ce qui se trouvait dans ma chambre. À la table, aux murs, aux chaises, au lit. Un jour, j'ai réussi à parler à toute ma chambre en même temps. Après, je me suis senti un peu bête. C'est comme si je venais de faire l'amour. Mais je me sentais bien. Bête et bien.

Puis je me suis acheté un chat. Et je lui ai parlé. Il ne m'écoutait pas souvent mais il me répondait. Il était jaune avec des taches blanches. Un jour, je l'ai trouvé mort. Je n'ai jamais su à cause de quoi. Il avait vomi partout avant de mourir. Quand je suis rentré du travail, ce soir-là, j'ai trouvé le chat mort. Je n'avais même pas eu le temps de lui trouver un nom. Je l'ai jeté dans l'incinérateur. Que pouvais-je faire d'autre avec? Je n'ai pas pleuré. Je n'avais pas eu le temps de m'attacher à lui.

Un jour, j'ai lu quelque part que ce qui est mal fait ou à moitié fait, bien ou mal, n'est pas fait du tout. Ça m'a frappé. Ce jour-là, je me suis dit que si j'arrivais à tout dire d'un coup, je serais libéré.

Oui, ce qui serait bien, c'est que j'arrive à tout écrire d'un coup. Comme ça, je serais libéré.

Je suis fou. Je suis fou et je le sais. Et je sais même pourquoi je suis fou. Ça ne change rien. Mais au moins je le sais, et je peux toujours m'arrêter à temps. Je suis fou parce que je n'ai jamais été capable — tout en essayant d'y arriver avec l'énergie du désespoir — de joindre les deux bouts. C'est comme pour le vent. On voit les rideaux remuer, ou un objet tomber, mais le vent, on ne le voit pas. Nul n'a jamais vu le vent et pourtant, il porte son nom. C'est comme pour le chat que je m'étais acheté. Il y avait une vie en lui, un souffle, une âme. Il est mort. Et tout ce dont je me souviens, c'est qu'il n'avait pas de nom. Je n'avais pas eu le temps de lui en donner un. Ou plutôt, de trouver son nom exact. C'est peut-être pour ça qu'il est mort... Qui sait?

J'essaie de voir ce qu'il y a de logique, ce qui se tient, dans ce que j'écris. Ce n'est pas très logique. En tout cas, ce que je voulais dire, quand je parlais du vent et du chat, c'est que moi, j'ai un nom, mais qui ne me colle pas vraiment à la peau et que, peut-être, quand je mourrai, on se souviendra de mon nom mais pas de moi vraiment.

Ce n'est pas logique. Il manque toujours quelque chose. Mais quoi? Seul quelqu'un pourrait me donner la réponse. Il faudrait que quelqu'un soit là maintenant. Après, la question ne serait plus la même. Il n'y a personne. J'ai eu beau retourner au restaurant où j'avais rencontré Nicole la première fois, je ne l'ai pas revue. J'ai pris café sur café, en guettant la porte d'entrée, pour voir si elle viendrait. Je ne l'ai pas revue. Je pense souvent à elle. Est-ce qu'elle pense encore à moi, de son côté? Peut-être se souvient-elle parfois de tout ce que j'ai pu lui dire et qu'elle se dit que j'étais un fou, rien qu'un fou. Peut-être que si j'avais attendu plus longtemps avant de la toucher, elle se serait laissé faire. Mais il a fallu que j'aille trop vite, comme d'habitude. J'ai choisi le mauvais moment. J'ai dû lui faire peur. Si seulement j'avais attendu encore... Mais toutes les filles sont comme ça, compliquées. Elles font des mines, des manières, mais quand c'est le temps de faire quelque chose, il faut toujours les forcer. C'est peut-être cela, ma folie, que de ne pas savoir profiter des choses quand il est temps. Ou bien c'est trop tôt, ou bien c'est trop tard. Oui, c'est cela, ma folie. Je suis incapable de joindre les deux bouts dans ma tête. Il faudra pourtant que j'y arrive un jour. Sinon... Sinon quoi? Rien du tout. Tout continuera comme avant, comme toujours. C'est ça. Je ne vis pas assez dans le présent. Je vis, ou bien trop dans le passé, ou bien trop dans le futur. Quand je trouve un beau souvenir, au lieu de m'en contenter comme d'une chose passée, je me dis aussitôt qu'un jour ce sera la même chose exactement. Aussi beau. Et au lieu de faire ce que j'ai à faire, pour arriver où je veux me rendre, je me mets à rêver, à échafauder toutes sortes de plans. En un rien de temps, je me perds. Je n'habite même plus mon corps. Je me dis que j'ai déjà atteint mon but, que je vais enfin rejoindre l'objet de mon désir, le toucher. Des fois, c'est quelqu'un. C'est une femme longue et fine étendue sur un divan. Je m'approche d'elle. Je n'ai rien à lui prouver. Et nous nous aimons. Mais je ne rejoins jamais rien. Tous les plans qui peuvent me passer dans la tête dans une journée! Des plans pour séduire les gens, ou pour faire beaucoup d'argent, vite. De l'argent avec lequel je pourrais faire tout ce dont j'ai envie. Avoir une maison de campagne à moi où je pourrais recevoir à ma guise des femmes et des amis... Avoir le droit de m'offrir tout ce dont j'ai envie... Pendant que je rêve, quelque part un autre s'enrichit.

Je suis fou. Maintenant, je le sais. Je suis fou parce que je rêve trop. Comment faire pour m'arrêter? Et quoi faire au juste pour avoir beaucoup d'argent?

Cet après-midi, au travail, j'ai bien ri. Je ne ris pas souvent, mais cet après-midi, j'ai ri. Pierre nous a raconté, à Monique et à moi, des histoires. Il est très bon pour conter les histoires. Pas comme moi qui ne suis même pas capable, quand je parle, de mettre deux mots l'un à la suite de l'autre. Quand j'écris, ce n'est pas pareil. Un jour, je parlerai comme j'écris. Ce jour-là, je serai content. Quand j'aurai quelque chose à dire, les gens m'écouteront. Et comme les gens n'aiment pas qu'on les touche pour rien, je ne les toucherai pas. Mais avec mes mots, je les atteindrai. Et quand je parlerai, on m'écoutera. Et on dira de moi: «Comme il parle bien, Claude!» Je n'aurai qu'une parole et je serai aimé.

Je suis fou? Peut-être. Mais au moins, je le sais. Et je sais aussi que je ne suis pas le seul. Il y en aurait long à dire là-dessus. Mais je m'endors trop pour continuer.

J'ai rencontré tantôt quelqu'un de plus fou que moi. Je croyais que ça ne se pouvait pas. Ça se peut. J'ai rencontré tantôt quelqu'un de complètement fou. Lui — il s'appelle Yves —, il ne sait pas qu'il est fou. Il croit tout ce qu'il dit. Tout ce qu'il dit, il croit que c'est la réalité. Ou du moins, il semble le croire. Peut-être fait-il semblant simplement pour qu'on l'écoute. Peut-être est-ce une façon pour lui d'attirer l'attention. Mais à ce point-là? Il m'a raconté une histoire sans queue ni tête. C'est au restaurant où j'ai connu Nicole que je l'ai rencontré. C'est lui qui est venu s'asseoir à ma table. Moi, je n'aurais jamais osé. Je ne sais pas pourquoi mais c'est comme ça. Avec les gens que je ne connais pas, je ne me sens pas en confiance. Qui sait ce qui se cache dans tous ces yeux des gens qui passent et qu'on ne connaît pas? J'aime encore mieux rester seul dans mon coin plutôt que de risquer de passer pour un fou aux yeux des gens. À quoi ça m'avancerait? J'aime encore mieux garder ce que j'ai à dire en dedans. Bien sûr, je ne dis pas ça pour tout le monde. Des fois, il a des gens avec lesquels j'aimerais aller m'asseoir. Mais j'y pense trop. Au lieu d'obéir à mon impulsion première, je me mets à me dire que vraiment je n'aurais que des bêtises à leur dire. Et je ne me lève pas.

Yves m'a demandé de lui payer un café. Je n'ai pas refusé. Il avait dans les yeux un feu que tous les yeux n'ont pas. Ses yeux étaient comme mangés par un feu intérieur.

Il a commencé par me poser toutes sortes de questions sur mon nom, sur ce que je fais, où je vis. Je n'aime pas les questions. Je trouve ça inutile, Je veux dire, ces questions-là. Mais j'ai répondu quand même, parce que j'étais curieux de voir où ça nous mènerait. Ça m'a mené, moi, à la conviction qu'il déraisonnait complètement.

L'histoire qu'il m'a racontée! Il m'a dit qu'il était millionnaire mais qu'à cause de certains problèmes avec des gens de sa famille il ne pourrait pas toucher à son argent avant quelques années. Je n'ai pas cru un mot de ce qu'il disait mais j'ai fait semblant. Il m'a dit qu'un jour, quand il aurait son argent, il s'en irait très loin, pour toujours. Quelque part en Afrique ou en Amérique du sud. Il n'avait pas encore décidé. Je ne le croyais pas. Je sentais dans sa voix que tout ce qu'il disait, ce n'était qu'un mensonge et qu'il cherchait à m'éblouir. Il avait beau avoir des yeux intelligents, ça se sentait que son histoire, c'était une histoire qui ne tenait pas debout. Il parlait bien mais il était aussi mal habillé que moi. Et quand je lui ai demandé ce qu'il faisait pour vivre, il n'a même pas répondu. Il a juste eu un petit sourire. Sans doute, comme bien des gens de mon âge que j'ai rencontrés, il ne fait rien. Il ne fait rien et il rêve. Moi, peut-être que je rêve mais au moins, je fais quelque chose. Bien sûr, ça ne paye pas beaucoup d'emballer des médicaments, mais au moins, je sers à quelque chose. Et je ne dois rien à personne. Je puis dire au moins ça.

Yves m'a pourtant dit quelque chose qui m'a fait songer. Je ne me souviens pas à quel propos il m'a dit ça mais ça m'a frappé.

«De toute manière, la vraie richesse, ce n'est pas ce qu'on pense...»

Sans doute n'y a-t-il qu'un fou pour avoir un éclair comme ça.

Nous avons dû rester trois heures à parler ensemble. Il m'a dit qu'il m'aimait bien, que je lui étais sympathique, que nous nous reverrions peut-être. De temps en temps, je jetais un coup d'oeil vers la porte du restaurant, au cas où Nicole entrerait. Bien sûr, elle n'est pas venue. Elle a dû tout oublier de moi.

Cette nuit — ou plutôt, ce matin, car il est minuit passé —, je me sens triste. C'est bête? C'est comme ça. Si j'avais quelqu'un à qui dire que je suis triste, déjà je le serais moins. Mais il n'y a personne. Je n'ai personne. Ma mère? Elle ne peut pas comprendre qu'on puisse se sentir triste sans raison. Elle est comme ça. Ce n'est pas pour moi qu'elle changera. Mon frère? Il doit être encore en train de regarder la télévision avec sa femme, sa grosse femme que je n'aime pas. C'est elle qui l'a rendu comme ça, apathique, indifférent, pas parlable. Un jour... Un jour, je descendrai dans la rue et je crierai aux gens (même si je sais d'avance qu'ils vont faire la sourde oreille): écoutez-moi, écoutez-moi! Mais qu'est-ce que je leur dirai, si jamais ça m'arrive? Ça ne m'arrivera jamais. Au fond, toute cette folie, c'est une comédie que je me joue. Pour tuer le temps. Pour éviter, une fois de plus, d'avoir à regarder la vérité en face. La vérité, c'est que j'essaie de remettre à plus tard le moment où il me faudra regarder les choses telles qu'elles sont et non telles que je les imagine.

Si j'essaie de m'en tenir à la stricte réalité, qu'est-ce que je vois?

J'ai vingt et un ans. Je suis rêveur. Je suis emballeur et je vis seul dans une chambre qui me coûte vingt dollars par semaine. Je n'ai pas grand-chose. Du linge, quelques meubles, un radio et un tourne-disque stéréo combinés, des livres et des disques. Je n'ai pas grand-chose, mais ce que j'ai, j'y tiens. Je n'ai pas un sou en banque. Des fois je trouve les femmes belles mais elles me font peur. Il faut leur raconter des histoires et je ne suis pas bon pour raconter des histoires (Pierre est bon pour en raconter, lui, mais qui sait s'il est vrai qu'il attrape autant de femmes qu'il le dit?). J'ai déjà réussi à coucher avec quelques-unes mais elles n'étaient pas vraiment de mon goût. Ça m'a écoeuré un peu. Maintenant, quand je n'en peux plus, je fais comme tout le monde fait dans ce cas-là, j'imagine. C'est bête, je le sais, mais au moins je suis sûr de ne pas être déçu.

Je me relis. C'est tout ce que je trouve. C'est tout ce qu'il y a? Quand même! Non, ce n'est pas tout ce qu'il y a. Si je ne m'en tenais qu'à ça, alors je serais vraiment fou, encore plus fou qu'Yves qui se prend pour un millionnaire. Il faut bien tenir compte de ses rêves, même délirants, même impossibles. Si je ne devais me voir qu'ainsi, sans futur, sans espoir, je n'aurais plus qu'à me jeter à l'eau tout de suite, une grosse pierre autour du cou. Un jour, j'aurai tout ce que je veux, tout ce que je désire. Et si je ne l'ai pas, tant pis pour moi! C'est que je n'aurai pas été bien malin.

C'est peut-être cela qu'Yves voulait dire quand il disait que la vraie richesse, ce n'est jamais ce qu'on pense. Peut-être, après tout, ne mentait-il pas vraiment quand il racontait son histoire. Peut-être qu'à force de se croire millionnaire, un jour il le deviendra, après en avoir découvert les moyens. Qui sait si ce n'est pas moi qui, ayant toujours douté de moi et n'ayant jamais su au juste ce que je voulais, me suis trompé. Il suffit peut-être, pour qu'une chose se produise, qu'on s'en convainque d'abord. La réalité est la réalité. Mais les gens qui ont réussi, n'est-ce pas envers et contre tous qu'ils l'ont toujours fait! Peut-être que je ne suis pas assez agressif. J'ai le temps. Je verrai bien.

Il ne s'est rien passé de spécial aujourd'hui. Sauf que Monique, la fille avec qui je travaille, nous a annoncé, à Pierre et à moi, qu'elle va se marier au printemps. Monique, elle, je l'aime bien. Elle n'est pas comme les filles que j'ai connues. Avec moi, elle est gentille tout le temps. Jamais un mot de trop, et toujours le sourire aux lèvres. C'est une fille comme elle que j'aimerais rencontrer. Je me serais bien essayé mais elle sort avec le même garçon depuis trois ans.

Pendant le lunch — que nous prenons ensemble, tous les trois —, Pierre a raconté d'autres histoires. Mais Monique et moi, nous n'écoutions qu'à moitié ce qu'il disait. Il y avait entre elle et moi comme quelque chose de très doux, presque un secret. C'était la première fois que ça nous arrivait. J'étais tellement ému à l'idée qu'elle était heureuse. C'était comme une roue qui tournait entre nous. Une grande roue de feu. C'est souvent comme ça. On connaît quelqu'un depuis longtemps. Un événement important arrive. C'est alors qu'il nous est donné de vraiment éprouver notre attachement. Un instant, pendant que

Pierre faisait le pitre, nos regards se sont croisés. La lumière qui sortait de ses yeux! Calme et sauvage. J'ai senti dans ses yeux qu'elle me remerciait de partager sa joie. Dans le silence qu'il y a eu soudain entre nous, nous nous touchions presque. C'est moi qui aurait voulu la remercier de me laisser ainsi approcher de quelque chose de si beau. Mais il y avait Pierre qui parlait, parlait, parlait. Il est marié. Comment n'a-t-il pas compris cela? Que pour une fille qui vient de fixer la date de son mariage avec celui qu'elle aime, c'est un beau jour, le plus beau jour peut-être de sa vie.

«Est-ce que tu vas continuer à travailler? ai-je demandé à Monique, plus tard dans l'après-midi.

— Oui, jusqu'à ce que j'aie mon premier enfant...»

Ainsi, elle ne s'en ira pas tout de suite de la compagnie. Et peut-être serons-nous plus amis qu'avant, à cause de ce regard merveilleux qu'il y a eu entre nous.

Ce soir, je n'ai pas envie de sortir. D'ailleurs, j'ai tellement dépensé ces derniers jours — au restaurant et au cinéma — qu'il me reste à peine de quoi tenir jusqu'à vendredi. Je vais en profiter pour lire et pour dormir.

J'ai trouvé maintenant pourquoi je suis fou. C'est-à-dire pas pourquoi je suis fou mais pourquoi j'ai tellement de difficultés à m'adapter et suis souvent obligé, en dernier recours, de jouer au fou. C'est simple: je suis trop sensible. C'est cela la réponse que je cherchais. Je suis si sensible que je suis toujours obligé, si je ne veux pas perdre la face, de jouer une comédie, de jouer à être autre que ce que je suis vraiment. Et comme je suis facilement influençable, puisque sensible, ne pouvant trouver pour elle de terrain sûr où lui donner cours, c'est vers moi — et, le plus souvent, contre moi — que je retourne cette grande volonté d'aimer qui m'habite. Sensible...

Comme tout s'éclaire en moi soudain, comme tout prend un sens tout à coup, au plus profond de moi. C'est comme si l'aiguille d'une boussole que j'aurais en moi, dans tout mon être, commençait à pouvoir s'orienter d'elle-même. C'est peut-être cela la force folle, le feu qu'il y a en moi, qui me force à parler — il faut bien que ça sorte par quelque part —, et que je reconnais parfois, mais si rarement, comme un feu parallèle, dans les yeux des autres.

Sensible... Impossiblement. Sensible à vouloir mourir d'avoir été la cible d'un mot méchant, sensible au point de me fermer complètement dès que je mets à douter, dès que je sens, dans le jeu de l'autre, un mensonge ou une laideur aimée. Comment se fait-il que je n'aie rien vu de cela avant aujourd'hui? Peut-être n'était-ce pas encore le temps pour moi de commencer à vivre (on vit, de toute manière)... C'était, en tout cas, comme si j'avais des écailles sur les yeux... Quand je pense que pendant si longtemps, j'ai vécu comme endormi...

J'aurais le goût de crier, comme ça, sans raison... Comme ça nous arrive, certains après-midi d'été, à la campagne, quand soudain quelque chose nous traverse, comme un souffle fou, qui voudrait nous entraîner jusqu'au bleu léger du ciel. Non, je ne crierai pas. La joie est une chose trop précieuse pour la jeter en cris inutiles, ou pour en profiter tout seul. Je ferai plutôt jaillir ma chanson calmement, uniment, au rythme d'un jeune arbre montant vers le soleil, de toutes ses fleurs, puis de tous ses fruits... comme un point qui s'ouvre en main aux étoiles...

Je voulais tout dire d'un coup, du premier coup, Je m'aperçois que c'était aussi absurde, en fait, que ce le serait de vouloir vivre toute sa vie d'un coup. En fait, ce que je cherchais, c'était d'arriver à vivre au présent. J'y suis. Il me reste peut-être quelques comptes à régler avec ma mémoire... Ça prendra le temps qu'il faudra, j'y arriverai.

Quand je pense!

C'est en relisant ce que j'ai écrit hier, comme je le fais d'habitude, que j'ai commencé à sentir que quelque chose s'était passé en moi, que je commence seulement à réaliser. Quelque chose de neuf. Quelque chose... Un retournement. Un renversement...

Je voulais tout dire. Je n'ai presque rien dit. Surtout en ce qui concerne Monique. Ce dont je me suis aperçu, en me relisant, c'est que depuis que nous travaillons ensemble, j'aime Monique. J'aime Monique mais, à cause de mille défenses que je me suis faites, les unes après les autres, je n'ai jamais osé me l'avouer, et encore moins le lui dire ou même le lui laisser voir. Cela m'aurait forcé à tant de changements dans ma vie. C'est cela qui s'est passé en moi. Je sais maintenant qu'il me faudra, pour arriver là où je veux me rendre — à quelqu'un —, tout transformer de mes habitudes, passer toute ma mémoire (non la mémoire elle-même, mais ce qu'elle contient) au creuset de l'instant pur, de l'instinct qui ne trompe jamais. La force qu'il faut, je l'ai. Calme et sauvage... C'est cela que je voyais dans les yeux de Monique hier: une flamme calme et sauvage. Mais comment aurais-je pu la lire, la sentir, cette flamme, si elle n'avait déjà été en moi. Il fallait bien que je la comprenne, qu'elle soit déjà en moi, sous forme de désir profond, de soif de tout l'être, de besoin, cette flamme que je lisais dans ses yeux. Tout m'est revenu d'un seul coup, tout ce qui s'est passé entre elle et moi, de mystérieux, de si beau, de ridicule parfois...

Il y a trois ans, quand j'ai commencé à travailler — comme aide-emballeur —, Monique sortait déjà avec le garçon qui doit l'épouser le printemps prochain. Je ne sais pas pourquoi, la première fois que je l'ai vue, j'ai eu l'impression qu'en réalité, elle et moi, nous nous rencontrions pour la seconde fois, nous faisions seulement nous retrouver. Impression qui arrive souvent, j'imagine, aux gens qui, se voyant pour la première fois, éprouvent, dans l'éclair d'un regard, une forte attirance physique l'un pour l'autre. Il y avait en elle un je ne sais quoi d'à la fois calme et troublant, farouche et gracieux, d'angélique, qu'il me semblait avoir déjà connu, dans un autre monde (où tout était, je m'en souviens, ordonné, simple et clair). Elle était femme, petite fille, oiseau, serpent. Sa voix, légèrement rauque, donnait à tout ce qu'elle disait un charme bizarre, en contraste avec la douceur naturelle qui émanait d'elle. Ses yeux, d'une grande vivacité, passaient d'une molle langueur à une malice rieuse pour un rien. Est-ce par fausse pudeur ou respect, je ne me suis jamais attardé à détailler son corps, comme Pierre pouvait le faire, par exemple, quand elle passait dans notre atelier. Une seule fois j'ai rêvé qu'étant tous les deux au bord de la mer nous nous prenions l'un l'autre, heureux, en riant. Je m'attardais, je m'en souviens, à pétrir doucement ses seins petits et fermes sous mes mains. Je dois pourtant dire que, de la première minute où je l'ai vue, je l'ai désirée. Mais déjà, à cette même minute, des murs se levaient entre nous, que je n'ai jamais eu, depuis, l'envie ou la volonté de briser. N'était-elle pas déjà à un autre (si elle lui était infidèle, à lui, tôt ou tard, elle ne manquerait pas de m'être infidèle à moi...)? Et puis, qu'avais-je à lui offrir, moi, simple petit aide-emballeur, employé dans un laboratoire où elle gagnait plus que moi? Et puis... et puis... et puis...

Toute l'énergie précieuse qu'on peut perdre à tenter de se justifier, alors même que c'est inutile! N'aurait-elle pas pu avoir —elle avait peut-être — simple envie de moi, comme moi j'avais envie d'elle... L'envie d'un petit soldat de chocolat resté dans sa guérite qui, voyant tomber la pluie, aimerait faire un pas, rien qu'un pas, et rendre les armes! En un rien de temps, ce qui aurait pu ne rester qu'une petite aventure comme devenir plus qu'une grande amitié se trouvait, sous mille prétextes — mais une seule peur — complètement étouffé. Comme toujours, je réalise trop tard mes chances. Il y a quelques mois encore, j'aurais pu laisser voir ou entendre à Monique que je l'aimais plus que bien. Je n'ai rien dit, je n'ai rien fait. Je serais vraiment mal venu d'aller maintenant déclarer un désir éteint depuis longtemps. De toute manière, même il y a trois ans, elle m'aurait peut-être envoyé promener. Il y avait peut-être aussi le fait que j'avais peur de perdre. Perdre quoi? La face? Ou mon goût puéril et vain des comédies?

Avec Nicole, c'est à peu près la même chose qui s'est passé. Sauf qu'elle, je ne la désirais pas. Je voulais seulement qu'elle m'écoute. Je comprends qu'elle se soit refusée à moi quand, cherchant uniquement à me servir d'elle, j'ai tenté de la séduire. Elle a dû le sentir que je ne la désirais pas, que je ne voulais que me servir d'elle, comme d'un petit animal à qui l'on s'amuse à donner des ordres, à sa fantaisie de petit roi de rien.

Petit roi de rien... C'est ce que je suis, ce que j'ai toujours été. Même pas le roi de ma propre vie. Roi sans amis, sans autre pays que celui d'une petite chambre.

Ce que l'on peut vite tomber dans la folie quand, se croyant plus sensible que tout le monde — c'est l'orgueil le pire —, on croit pouvoir arriver tout seul, sans l'aide de personne, là où on veut se rendre... C'est dans le no man's land du rêve qu'on aboutit, sans retour. Sans retour?... Je disais plus haut que ce dont je manquais peut-être, c'était d'agressivité. N'est-ce pas de tout le contraire que je manque? Je suis emballeur de médicaments. C'est peut-être à moi qu'il faudrait en envoyer de temps en temps...

De quoi ai-je besoin pour être heureux?

Voilà l'unique question à laquelle je veux m'attacher maintenant. Depuis deux jours, j'ai beaucoup pensé. Et je me suis aperçu que l'idée de l'argent — gagner beaucoup d'argent vite — tenait beaucoup trop de place dans ma vie. Je me suis toujours dit qu'avec beaucoup de sous je pourrais faire tout ce que je veux. C'est peut-être vrai. Mais quand je songe à ce que je veux, à ce dont j'ai besoin, je me rends aussitôt compte que c'est de quelqu'un que j'ai besoin. Alors, l'argent, pour quoi faire? Je ne dis pas qu'un jour, quand je serai avec quelqu'un, je ne voudrai pas en avoir. Mais ce sera uniquement pour réaliser des projets qui concerneront pas seulement moi, mais nous deux. Nous deux... Déjà je parle comme si c'était fait.

Je me suis aussi dit cette chose très simple: que si, toujours et partout, je vis d'après mon besoin profond du moment, quel qu'il soit, je ne pourrai jamais manquer d'être heureux. Je pourrais avoir vingt mille dollars en banque actuellement. Qu'est-ce que ça changerait? J'irais demain me chercher une auto, un appartement, une maison de campagne. Mais rien de cela ne serait à moi puisque je ne l'aurais pas vraiment gagné par mon travail. Je veux dire par un travail qui aurait été l'expression profonde de ce que je suis, de ce que je puis créer. Et que dire des amis que j'aurais? D'où me seraient-ils venus, eux que je n'ai pas maintenant?

Je suis emballeur de médicaments. Qui sait si ce n'est pas moi qui, un jour, les ferai ces médicaments?

J'ai vu Yves ce soir. Il n'est pas si fou que je le croyais. Il m'a parlé longuement de la maison qu'il habite avec des amis, filles et garçons. Il m'a même proposé, si ça m'intéressait, d'aller vivre avec eux, pour un temps, pour voir.

Il se peut que j'accepte.

Les amies de fille

IL allait y avoir vingt ans que Marie Caron travaillait comme vendeuse dans ce grand magasin de l'ouest de la ville. Vendeuse de jouets d'enfant. À «commission». C'est-à-dire ayant droit, en plus de son salaire de base, à un pour cent du produit de ses ventes. Une bonne situation. Quarante heures de travail par semaine. Un peu plus, et payé en surtemps, pendant les périodes des fêtes, des ventes et des inventaires. Deux semaines de vacances payées par année. Une, à ses frais, si désiré. Quelques jours de maladie. Dans quinze ans, la retraite, avec la moitié de son salaire jusqu'à la fin de ses jours. De quoi vivre à l'aise, sinon dans le luxe. Pour aujourd'hui, un salaire suffisant à payer le loyer de son petit appartement situé dans un quartier de l'est de la ville, à deux pas d'une bouche de métro, les comptes courants et quelques folies de temps à autre. Le privilège, comme employée de la maison, d'un pourcentage de réduction sur tout ce qu'elle achetait au magasin, soit pendant les heures de dîner, soit après le travail, les soirs où celui-ci restait ouvert jusqu'à neuf heures. C'est ainsi qu'elle avait pu s'acheter, l'automne précédent, un manteau de rat musqué. Une folie...? Mais qu'aurait été sa vie, sans petites folies, de temps en temps?

«Vingt ans... Le tiers de ma vie!»

Dans une semaine exactement, jour pour jour. Le 1er avril.

Pourquoi était-ce ce matin, précisément ce matin, que cela lui revenait en mémoire? À cause du printemps dont les signes allaient, depuis deux ou trois jours, se multipliant? Comme un souffle d'enfant fou, comme un palpitement, comme... Ce n'était pourtant pas au printemps mais bien en automne, un automne bien triste puisque c'est celui où son père était mort d'une crise cardiaque que sa vie avait pris le pli qu'aujourd'hui encore elle avait, dont elle semblait ne plus jamais devoir changer. Un mois après son père, en décembre, c'est sa mère, une femme à la santé fragile, qui était, ne résistant pas au chagrin d'avoir perdu son mari, partie. Partie... le drôle de mot!

Elle avait alors vingt et un ans. Elle ne savait rien faire. Enfin, rien de vraiment utile. Mais qui aurait cru que tout arriverait si vite? Son père n'avait que quarante ans, sa mère, un peu moins. Elle avait du abandonner ses études de musique. Elle voulait devenir pianiste.

«Mais, dans la vie, rien n'arrive jamais comme on l'aurait voulu...»

La seule éducation pour laquelle elle avait reçu un diplôme, éducation de «future mère de famille», ne l'avait pas menée bien loin. Jusqu'à un certain point, elle lui avait nui.

«Comprenez, Mademoiselle Charron...
— Caron...
— Caron, que les notes fortes en religion, dans le commerce...»

C'est ce que lui avaient répété, tour à tour, les employeurs qu'elle était, en quête d'un travail, allée voir. Elle s'était accrochée. Elle s'était battue. Elle qui s'était toujours imaginée douce et vulnérable, elle s'était découvert une énergie jusque-là insoupçonnée. Chaque échec essuyé dans sa course à un emploi lui avait donné un peu plus de force et de confiance en elle-même. Elle avait fini par comprendre que, dans l'obtention d'un emploi, comme dans le reste, ce qui comptait avant tout, c'était, comme aurait dit son père, d'avoir du «guts». Quoique lui-même, homme doux, honnête et généreux, n'en avait jamais tellement eu. Il ne lui avait laissé, pour tout héritage, que quelques meubles, la maison où ils habitaient, dans ce petit village du bord du fleuve, ne leur appartenant pas. Ni lui ni sa mère n'avaient d'assurances sur la vie. Les dettes et les frais funéraires avaient mangé le peu d'argent liquide qu'ils auraient pu lui laisser. C'est une soeur de sa mère, la tante Yvette, qui s'était occupée de tout.

Après avoir travaillé pendant quelques mois comme serveuse au restaurant du village — dont la propriétaire, une grosse femme rougeaude et joyeuse, était une ancienne amie de couvent de sa mère —, elle avait fini pas entrevoir une lueur d'espoir. On cherchait une vendeuse... Armée de sa seule expérience des employeurs, ayant finalement appris à ne pas tout dire et surtout à cacher ses sentiments, elle s'était présentée. Il fallait travailler. À n'importe quel prix. Elle n'avait pas le choix. Elle ne voulait vivre ni aux crochets de la tante Yvette —, qui, même si elle avait déjà cinq enfants à charge l'avait hébergée pendant quelques mois —, ni à ceux de la société. Elle avait obtenu l'emploi. On la mettait à l'essai. On lui donnait sa chance.

Au début, ç'avait été difficile. Il fallait accomplir de longs trajets en autobus soir et matin. Et puis, jamais elle n'avait vu autant de gens à la fois. C'était affolant. Mais elle était jeune. Elle avait fini par surmonter sa peur et sa timidité. Le plus difficile, ç'avait été de commencer à travailler au printemps. Ce printemps, ces printemps qu'elle avait jusque-là vécus en toute insouciance. À jardiner avec sa mère, à se promener avec un amoureux ou des amies le long du fleuve, à simplement respirer le bon air frais du soir. Il lui avait fallu quitter tout ce qu'elle aimait. Elle s'était loué une chambre. En attendant mieux. Elle avait «un pied en ville». C'est tout ce qui devait compter.

Timidité... Elle avait encore le trac parfois, avant d'entrer «sur le plancher», après avoir épinglé, sur le petit tailleur de couleur discrète, juste au-dessus du sein gauche, le rectangle de plastique portant, sur fond bleu, en lettres dorées, son nom. Car être «au service du public», c'est un peu comme du théâtre.

«Mais qu'est-ce qu'elle fait qu'elle n'arrive pas?»

L'horloge électrique du restaurant indiquait huit heures six. Elle consulta sa montre. Huit heures six. Pas de doute possible. Louise était en retard.

«Qu'est-ce que ce sera pour vous ce matin, Mademoiselle Caron?

— Un muffin aux raisins et un café, Nicole...»

Nicole, la serveuse, une femme dans la trentaine avancée, aux yeux comme perpétuellement bouffis de sommeil, et toujours «mal attriquée», malgré tous ses efforts, ne lui demandait ce qu'elle allait prendre que pour la forme. Car depuis vingt ans, chaque matin, c'étaient des muffins aux raisins que prenait Marie Caron.

«Toujours demander au client ce qu'il veut, ne serait-ce que pour lui laisser l'illusion du choix...»

Un des dix commandements de la bonne vendeuse. Un principe qui valait sauf peut-être dans la vente des jouets, les enfants ne sachant jamais ce qu'ils désirent vraiment même si, en fin de compte, ce ne sont jamais eux qui ont le dernier mot.

«Pourvu qu'il ne lui soit rien arrivé...»

Huit heures sept...

Jamais Louise Martin, son amie, sa meilleure amie, comme elle dans la vente des jouets — quoique gérante et travaillant dans un autre magasin —, n'était en retard. À huit heures, elle entrait dans le restaurant de la pharmacie où toutes deux, chaque matin, depuis qu'elles se connaissaient, prenaient leur petit déjeuner en bavardant de tout et de n'importe quoi. Ce, jusqu'à huit heures et vingt. C'était le grand moment de leur amitié.

Or, la dernière fois que Louise n'était pas venue à leur rendez-vous, c'était il y a quatre ans. Le jour de la mort de

Tommy, son chat. Un chat blanc magnifique, aux yeux d'un vert émeraude très clair, pesant près de trente livres. Ce qu'elle avait pu pleurer! Elle l'avait consolée du mieux qu'elle avait pu. Et puis Louise s'était acheté un nouveau chat.

Huit heures huit...

Fallait-il commencer à s'inquiéter? La porte du re rant s'ouvrit. Elle se retourna. Ce n'était pas elle mais deux jeunes gens barbus vêtus de vieux manteaux d'armée. La porte se rouvrit presque aussitôt. Malgré elle, elle poussa un soupir de soulagement.

«Bonjour!
— Good morning!»

Car il faut préciser que, malgré ce nom d'apparence française, Louise Martin était anglaise.

«Tu sais, Louise, que ça va faire vingt ans la semaine prochaine que je travaille comme vendeuse...»

Non seulement Louise Martin était-elle anglaise mais encore ne parlait-elle pas le français. Elle le comprenait, bien sûr. Il lui arrivait même d'essayer d'en baragouiner quelques phrases. Mais de là à dire qu'elle pouvait le parler... Si elle n'avait été que simple vendeuse, sans doute aurait-elle eu à l'apprendre. Mais elle était gérante. C'était son privilège de l'apprendre ou non. En fait, ayant des contacts surtout avec les vendeuses de son département, non avec le public, ça ne lui était pas nécessaire.

Marie Caron s'était interrogée à savoir si son amie ne devait pas apprendre le français. Puis elle avait tout simplement laissé tomber la question. Qu'est-ce que l'amitié a à voir avec la langue qu'on parle? Pourvu qu'on se comprenne... Et puis, Louise ne se trouvait-elle pas à l'aider à perfectionner son anglais. Cet anglais qui lui avait permis de passer du petit magasin de l'est de la ville, où on l'exploitait, à celui où, aujourd'hui, elle gagnait si bien sa vie. Enfin, assez bien. Surtout avec le coût de la vie qui n'en finissait pas de monter... Si Louise avait eu vingt ans de moins, sans doute aurait-il fallu exiger d'elle qu'elle s'exprime dans la langue de la majorité. Mais comme elle, son amie était entrée dans la quarantaine. A cet âge, même avec la meilleure volonté du monde, il n'est plus très facile d'apprendre.

Quel plaisir de la savoir là, de la sentir près d'elle, après tant d'inquiétude!

Louise Martin était une femme calme. Elle se contentait de sourire aux choses, tout au plus. Aussi répondit-elle à ce que son amie venait de lui dire avec toute la curiosité et l'intérêt dont elle était capable:

«Really...! Twenty years...! Already...!»

Elle ne prononçait pas «twennie», à la mode américaine, mais bien «twen-ty», en faisant claquer le t final. Elle n'était pas anglaise d'Angleterre pour rien. Elle avait beau être arrivée ici à l'âge de seize ans...

«Yes... And I'm kind of proud of it...»

Marie, elle, faisait toujours au moins une faute de prononciation par phrase. Ce qui la faisait tout de suite identifier comme Canadienne française. Canadienne française ou Québécoise...? Elle ne le savait plus. C'est ainsi que, dans ce qu'elle venait de dire, le t du mot «it» était trop gras, ce qui donnait un son comme «prowdovit». Mais Louise fermais les yeux sur ces petites erreurs de son amie, qui ne faisaient que donner un «cachet» de plus à leur amitié.

La chose en resta là. Marie était bien trop curieuse de connaître la cause du retard de son amie. L'explication était simple. Louise avait raté son express. Elle avait dû prendre l'autobus régulier.

Le silence revint entre elles, quelques secondes.

C'est Louise qui, cette fois, le rompit.

«J'ai une idée... Pourquoi ne ferions-nous pas quelque chose?

— Comment...?

Un instant distrait par la danse folle d'une mouche prisonnière d'une cloche à gâteau, l'esprit de Marie n'était plus là.

— About your twenty years of having been a salesclerk... Pour tes vingt ans de travail comme vendeuse... C'est ça qu'on dit? Tu pourrais venir chez moi et nous pourrions avoir une petite réception...»

Marie faillit s'étouffer avec la fumée de la cigarette qu'elle venait juste de s'allumer. En effet, depuis les douze ans qu'elles se connaissaient, bien que chacune en eût eu l'idée à quelques reprises, jamais elles ne s'étaient rendu visite l'une l'autre. La raison en était simple. C'est qu'aucune des deux ne se sentait l'énergie nécessaire pour préparer, après une journée de travail, un souper dont il aurait fallu qu'il soit pour le moins somptueux. Sans compter qu'étant gérante Louise finissait toujours de travailler un peu plus tard que son amie. Pour ce qui était des fins de semaine, chacune avait sa vie. C'est-à-dire que chacune essayait d'oublier tout ce qui, de près ou de loin, pouvait lui rappeler ce magasin où elle passait les cinq septièmes de sa vie. Et puis, ne valait-il pas mieux laisser à leur amitié cette poésie du matin qu'elle avait. Aucune des deux n'avait d'auto... Louise habitait l'extrême-ouest de la ville... Bref, tout avait toujours empêché l'événement de se produire.

«Nous pourrions nous rejoindre ici puis prendre un taxi jusque chez moi... Make it something really special...»

Mais il était huit heures dix-huit, le temps pour elles de commencer à se préparer à rejoindre leurs postes. Le temps de vérifier, dans un petit miroir de poche, leurs maquillages. Celui de jeter, en refermant leurs bourses, en même temps, dans un seul petit claquement sec, un regard de mépris sur les jeunes gens barbus entrés un peu avant Louise et qui n'avaient pas cessé une seconde de parler à voix haute, comme s'ils avaient été seuls dans le restaurant. En lâchant, à tous les trois ou quatre mots, des jurons si grossiers qu'à plusieurs reprises Marie avait rougi.

«À demain, Nicole...
— A demain, Mademoiselle Caron...
— Ah! oui, j'oubliais... Il y a une mouche sous votre cloche à gâteau au chocolat...»

Peut-être était-ce l'éclairage trop cru du néon qui mettait en évidence les moindes défauts du maquillage de la serveuse. Comme il changeait, au magasin, la couleur de toute chose...

En tout cas, il n'y avait pas toujours de quoi être fière d'être... d'origine française. Comme devant ces jeunes barbus, comme devant Nicole...

Elles quittèrent leurs tabourets, payèrent leurs cafés. Non sans avoir laissé, toujours d'un même geste, le dix cents de pourboire de rigueur sous la soucoupe.

«Nous en reparlerons demain...», se dirent-elles en se quittant au coin de la rue.

Elle referma précipitamment la porte du cabinet de toilette derrière elle et resta là, une seconde, les yeux brûlants, comme à bout de souffle, étourdie, avec dans sa gorge le poids dur et pointu, en boule, de l'envie de pleurer qui, depuis dix minutes, l'oppressait. Ça lui était remonté de très loin, comme une marée...

Il y avait pourtant une demi-heure que la chose était arrivée.

Elle avait surpris cette petite fille en train de voler.

Une poupée. Une magnifique poupée à quarante dollars.

Au moins, si ç'avait été la première fois. Elle aurait toujours pu s'arranger avec elle. En lui reprenant le jouet qu'elle avait essayé de glisser dans un grand sac, comme une voleuse professionnelle, en cherchant à lui faire comprendre qu'il n'était pas bien de voler. C'était déjà arrivé. Et les petites filles — Monsieur Gravel, le gérant, s'occupant des petits voleurs — n'étaient plus revenues. Mais elle, c'était la troisième fois en moins d'un mois qu'elle tentait sa chance. Elle aurait pu fermer les yeux. Elle ne le pouvait pas. C'était sa place même qui était en jeu. Cette place qu'il lui avait fallu tant de temps à conquérir. Dont elle ne pouvait être sûre qu'en se montrant aussi forte — sinon plus — que les autres vendeuses. Sur le vol à l'étalage, les règlements étaient stricts. Laisser une tentative de vol impunie, c'était ouvrir toutes grandes les portes du magasin à tous les voleurs de la ville. Et dieu sait qu'il y en avait... Et de plus en plus... Ce, malgré le budget formidable voté à la sécurité intérieure...

Il avait fallu téléphoner. Ce qu'il arriverait à la petite fille, elle ne le saurait jamais. Ça ne la regardait pas. Mais quoi faire à l'avenir?

La haine qu'il y avait dans les yeux de l'enfant quand la détective, une femme, était venue la chercher pour l'emmener en-haut. En-haut, au huitième étage, où tout se réglait...

Pourquoi fallait-il que ce soit aujourd'hui, le jour de l'anniversaire du jour où elle avait commencé à travailler, qu'une telle chose arrive? Pourquoi? Elle qui se faisait une telle joie de ce jour, voilà qu'un événement imprévu la lui gâchait toute. Mais est-ce que, dans la vie, l'imprévu n'apportait jamais que du malheur?

«Vous savez, Monsieur Gravel, il y a vingt ans aujourd'hui que je travaille...

— Ah! oui, ça fait donc plus longtemps que moi que vous êtes au magasin.»

Elle aurait voulu préciser qu'en fait il n'y avait pas tout à fait vingt ans qu'elle était dans la maison. Elle songeait aux huit mois passés dans le petit magasin de l'est de la ville. Mais elle n'en avait pas eu le temps. Le téléphone sonnait.

Monsieur Gravel était revenu la voir un peu plus tard.

«Vous savez, vous pouvez toujours partir à quatre heures, si nous ne sommes pas trop occupés...»

Au train où les choses allaient, à quatre heures, le département serait désert. Elle profiterait de cette heure pour aller acheter un cadeau de dernière minute à Louise.

«Vingt ans...»

C'était comme s'il suffisait de ce seul vol d'enfant pour jeter bas ces vingt ans de sa vie passée... Mais était-ce bien sur la petite fille de tout à l'heure qu'elle avait, sans y arriver, envie de pleurer? N'était-ce pas plutôt sur une autre petite fille, de vingt et un ans, celle-là, qui, elle, n'avait rien volé, à qui on aurait plutôt volé quelque chose... Elle sortit un kleenex de sa bourse, s'y moucha.

Elle demanderait conseil à Louise. Louise qui savait toujours trouver réponse à tout. Ce soir. Puisque c'était ce soir qu'elle irait chez son amie pour la première fois.

«Il faut que je retourne sur le plancher... Monsieur Gravel va se demander où je suis passée...»

«Un autre verre, Marie?»

Il allait y avoir deux heures que Marie Caron était chez son amie.

Après s'être retrouvées au petit restaurant de la pharmacie, elles avaient pris un taxi. Puis, aussitôt arrivées, elles avaient soupé. Tout était prêt. Le repas était exquis. De même que tout le reste. Depuis qu'elle était arrivée, pour Marie, quel éblouissement! Comme elle l'avait toujours cru, Louise avait vraiment tous les talents. Elle était allée de surprise en surprise, de merveille en merveille. Quelle émotion quand elle avait aperçu, dans un coin de l'immense salon plein à craquer de plantes, de bibelots et d'objets d'art, un piano, un superbe piano à queue. Une idée folle lui avait traversé la tête.

«Tu sais jouer du piano? avait-elle demandé, avec un tremblement dans la voix.

— Of course!» avait répondu Louise, comme si ç'avait été l'évidence même.

Elle ne lui en avait jamais parlé. Il faut dire que jamais Marie ne lui avait confié qu'elle avait autrefois étudié la musique. Peut-être n'était-il pas trop tard...

«Même si je dois avoir les doigts complètement rouillés...» Elle se voyait, elle et Louise, au piano...

Elle tendit son verre vide. Car bien qu'elle fût déjà pas mal «pompette», elle qui ne buvait pour ainsi dire jamais, elle se sentait si bien ce soir, si heureuse, si en confiance, qu'elle aurait bu la réserve tout entière de son amie.

«Oui, mais ce sera le dernier... Je me sens, comment on dit... «dizzy»?»

Louise Martin se sentait bien, elle aussi. C'était la première fois qu'une amie de travail venait chez elle. Il est toujours agréable de faire voir l'intérieur auquel on a consacré tant de temps et d'amour à une personne de plus. De quoi pouvait avoir l'air l'appartement de son amie? Dans l'est de la ville, de quoi pouvait avoir l'air l'appartement d'une personne même d'autant de goût, sinon de raffinement, que Marie? Dans l'est, où elle n'avait mis les pieds que deux ou trois fois, et encore parce qu'elle y était forcée, il n'y avait ni arbres, ni jardins, ni lumière. Enfin, pour ce dont elle pouvait se souvenir... En tout cas, elle semblait se plaire. Et puis, ça lui ferait quelque chose à raconter à ses amies qui, une fois par semaine, le dimanche, se réunissaient chez elle. Quelle heure pouvait-il être? Bah! le moment d'offrir son cadeau à Marie viendrait bien de lui-même...

Elle déboucha la bouteille de cognac, en remplit le verre vide de son amie et revint vers elle.

Marie se sentait vraiment «pompette». Des envies de fou rire la prenaient à propos de tout et de rien. Dans sa tête, depuis une demie-heure, ce n'était qu'une succession d'images les unes plus folles que les autres. C'est ainsi que depuis cinq minutes lui revenait celle de Monsieur Gravel tout nu, enfin, presque nu. Il avait l'air d'un petit cochon rose, avec son unique mèche de cheveux lui faisant comme un tire-bouchon juste au milieu du crâne...

Louise devait avoir l'habitude de boire. Rien de changé dans son attitude. Elle se tenait toujours aussi droite. Ses yeux gardaient la même inflexibilité, comme la même absence à tout...

Marie aurait eu envie de lui demander de jouer quelque chose au piano. Elle préféra en finir avec ce qui, depuis l'après-midi, la tracassait.

«Tu sais qu'il m'est arrivé quelque chose d'épouvantable aujourd'hui...

— Ah! oui...

— Oui, I had to have a little girl arrested for stealing a doll... Tu sais, une de ces poupées à quarante dollars qui parlent et qui marchent... C'est la troisième fois qu'elle s'y essayait en un mois...

— I guess that's all she deserved, répondit froidement Louise.

— C'est un bien étrange travail que le nôtre, enchaîna Marie qui n'avait pas entendu ce que venait de répondre Louise. We're supposed to be there to make children happy... Et nous devons en faire arrêter...

— Nous n'y pouvons rien», reprit Louise, sur le même ton froid.

Elle commençait à trouver que son amie exagérait. Peut-être n'avait-ce pas été une si bonne idée, après tout, que de l'inviter chez elle. La vie est une chose, le travail, une autre. Et il y a des choses qu'il faut savoir taire, même si — et surtout — quand on brûle du désir de les dire.

«Parfois, je pense que la justice n'est pas la même pour tout le monde, continua Marie qui, tout à l'image de la petite fille, ne voyait pas qu'elle ennuyait son amie.

— Un peu de musique peut-être? demanda cette dernière qui voulait changer le ton de la conversation.

— Quelle bonne idée! s'exclama Marie. Qu'est-ce que tu vas jouer?

— Oh! non, pas ce soir, répondit Louise. I just wanted to put a record on...

— Bon! répondit Marie, un peu déçue et retombant aussitôt, car elle était maintenant ivre, complètement ivre, dans sa réflexion noire de tantôt. Mais pourquoi toutes les petites filles n'ont-elles pas la même chance dans la vie?

— What did you say? demanda Louise, s'apercevant soudain que son amie était ivre et feignant, en espérant qu'elle l'oublie, ne pas avoir entendu la phrase que venait de lui dire Marie.

Peut-être était-il temps de lui offrir son cadeau...

— I said: Why don't all little girls have the same chance in life?»

Louise venait de mettre le doigt sur le bobo. Voilà donc pourquoi Marie, au lieu d'être, après tant d'années de travail, gérante, n'était que simple vendeuse. Ses sentiments l'emportaient sur ses idées. Elle ne savait pas garder le contrôle d'elle-même. Bien sûr, tout n'était pas parfait. Bien sûr, elle avait eu, dans sa vie, des moments où, si elle s'était écoutée...

«Parfois, je pense que nous ne sommes pas plus que ces poupées qui parlent et qui marchent que nous vendons...

Une fois encore, le regard haineux que lui avait jeté la petite fille lors de son arrestation lui revint.

— ... The problem is that nobody wants of us except to make money and when we're broken, throw us in the garbage...

Elle qui avait cru trouver une confidente de sa peine en Louise y alla du poids qu'elle avait sur le coeur depuis si longtemps.

— ... Nobody cares... Not even you!»

«Mais qu'est-ce que je vais faire, mon Dieu, qu'est-ce que je vais faire?»

Debout devant le miroir de la pharmacie de sa salle de bains, Marie Caron n'arrivait même pas à se relever la tête.

Elle avait en même temps un mal de tête si affreux qu'elle avait l'impression que celle-ci allait lui éclater, et l'envie de vomir, et celle de s'endormir, et celle de s'évanouir ou mourir. Mais il ne se passait rien. Rien, depuis les cinq minutes qu'elle était là, s'accrochant presque aux rebords du lavabo.

Elle s'était réveillée tantôt. Le temps de jeter un coup d'oeil au réveil, elle était sur ses pieds. Dix heures et demie... Elle qui devait se lever à sept heures... Et puis, elle avait eu cet étourdissement... Comme un long soleil blanc lui explosant dans la tête, lentement, lentement...

Elle ouvrit le robinet d'eau froide, glissa dessous la débarbouillette et après l'avoir tordue un peu, se l'appliqua sur le visage, autour des tempes. L'eau froide la réveilla un peu...

«Si je n'avais pas tant bu aussi...»

Dire qu'au lieu de se mal terminer, la soirée de la veille aurait pu être si agréable.

À chaque fois qu'elle avait bu, et quoi que ce fût, ç'avait été la même chose. Jusqu'au troisième verre, tout allait bien. Au troisième, à la deuxième gorgée, tout à coup, infailliblement, c'était comme si un voile noir lui tombait devant les yeux...

«Téléphoner à Monsieur Gravel pour lui dire que je serai en retard... À moins que je n'aille tout simplement pas travailler...»

Car où trouver le courage d'aller travailler après ce qui s'était passé chez Louise, qui, par bribes, par fragments, commençait à lui revenir... Elle revoyait le visage de son amie — mais Louise était-elle encore son amie? — se mettant à pâlir... Et puis, elle l'entendait donner, après l'avoir fait monter dans un taxi, son adresse au chauffeur de celui-ci, d'une voix sèche et neutre.

Le long trajet à travers la ville, d'ouest en est...

«C'est aujourd'hui le jour de la paye... Il faut que j'y aille... Je vais téléphoner à Monsieur Gravel et lui dire que je serai là pour une heure... Après tout, c'était hier mon anniversaire...»

Une chose lui revint, tandis qu'elle prenait son café, en vitesse, sur un coin de table, une heure plus tard. Quoi que ce fût, ce qu'elle avait dit à Louise l'avait libérée.

Le printemps avait finalement eu raison de l'hiver. Ce matin, dans la rue, les gens se souriaient. Quelle joie de voir le soleil enfin revenu!

Mais Louise Martin se sentait vaguement triste en entrant dans le restaurant de la petite pharmacie où depuis plusieurs jours elle espérait, mais en vain, l'arrivée de Marie. C'est qu'elle ne lui avait pas encore donné son cadeau. Une écharpe de soie bleue, la couleur préférée de Marie. Elle était même allée, la veille, jusqu'au magasin où celle-ci travaillait, pendant son heure de dîner. Pour la lui offrir et surtout pour la revoir, pour lui dire que, malgré ce qui s'était passé chez elle, elles devaient rester amies. Car bien qu'elle se l'avouât difficilement, ce que Marie lui avait dit l'avait émue. Oh! bien sûr, sur le moment, elle s'était sentie pîquée au vif. Elle s'était même sentie obligée de défendre une cause qui, au fond, n'était pas la sienne. C'est de réaliser cela qui lui avait fait découvrir qu elle n'était peut-être pas aussi libre qu'elle l'avait toujours cru. Un instant même, une idée lui avait traversé la tête.

«What will it be for you, Misses Martin?

— A muffin and a coffee, please, Nicole...»

Elle songeait depuis quelque temps à se louer un chalet à la campagne. Pourquoi ne pas en parler à Marie? Et puis, elle s'était dit que jamais elles n'auraient le remps de réaliser ce projet... Le temps... Ce qui manquait toujours. Qui manquerait toujours?

«You care more about your cat than about children.»
Au fond, Marie avait eu raison de lui dire cela.

La porte du restaurant s'ouvrit. C'était elle.

«Good morning!
— Bonjour!»

Un instant, un bref instant, les deux amies se regarderaient, intimidées l'une par l'autre, avant de se sourire. Marie lui expliquerait qu'elle avait été malade. Et Louise lui donnerait son cadeau.

Le retard

T'ES monté en autobus?
— Non, j'ai eu un lift de Paul...
— Ton ami de la ferme?
— Oui... enfin, un de mes amis de la ferme...»

Sur le bord de la nappe, la nappe blanche où, depuis des années, fanent, dans un vase trop petit, deux roses de plastique, François Dubois serre fort dans la sienne la main de son «neveu»...

«Tu t'appelles comment?
— Christian...
—Christian comment?
— Christian.»

Ils sont les seuls clients dans la salle à dîner ce soir. Assis l'un en face de l'autre...
Le jeune homme esquive son regard trop pressant...

«Pas comme ce jour-là pourtant», songe François Dubois.
Ce jour où tout a commencé. Si quelque chose a vraiment commencé...
Il pleuvait... Le ciel était gris...
«Un temps de chien...»

Monsieur François Dubois montait à Montréal. Une commande à livrer à la dernière minute à un gros client.

Un vendredi soir... Cinq heures et demie...
«Il aurait pu téléphoner plus tôt... Mais c'est toujours la même chose... Il y a, et il y aura toujours quelqu'un en retard quelque part...»

Montréal, quarante-cinq milles...
La radio diffusait un son gris, elle aussi... Un son percé de courts éclairs noirs, par instants...
«Vous écoutez...»

À travers les essuie-glaces battants, il a aperçu ce jeune homme au bord de la route, pouce levé...
Jetant sa serviette sur la banquette arrière, par-dessus les boîtes...
«Vous allez à Montréal?
— Oui...»
Le jeune homme est monté.
«T'attendais depuis longtemps?
— Dix minutes...»

Ils sont repartis.
Les arbres défilaient... Les champs fumaient... C'est quand le jeune homme lui a demandé une cigarette qu'ils ont commencé à parler. Lui surtout. Il lui a demandé son nom, puis ce qu'il faisait.

Le jeune homme qui s'essuyait le visage avec un kleenex mouillé n'a pas compris tout de suite...
«Quoi, qu'est-ce que je fais?
— Je veux dire, en général... dans la vie...
Le jeune homme a souri...
—Rien... Toutes sortes d'affaires», a-t-il répondu d'un ton mi-amusé.
«Est-ce qu'il se moque de moi ou quoi?» s'est demandé François.

C'est quand il lui a tendu l'allume-cigarette, après s'être allumé, qu'ils se sont regardés pour la première fois... Lui, la tête rejetée un peu vers l'arrière, pour éviter la fumée qui lui montait aux yeux, comme de loin, comme de haut... Christian, droit dans les yeux, un peu d'un air de défi...

Deux, trois, quatre, cinq secondes... Par accident? Par hasard?

«Il n'y a pas de hasard. Il n'y a que ce qui doit arriver et qui, à cause de nous, arrive ou n'arrive pas», lui a plus tard dit Christian.

Ce jour-là, il avait les cheveux noués en une tresse, retenus par une lanière de cuir... une barbe d'au moins deux jours... Des yeux étrangement brillants... Peut-être à cause du temps terne qu'il faisait...

«Il ressemble à quelqu'un... Mais qui?»

Était-ce cette ressemblance avec quelqu'un de lui déjà connu, à l'image flottant floue encore dans sa mémoire, qui, depuis une minute, le troublait? Ce jour-là... Qu'est-ce qui pouvait le faire se sentir si brusquement bizarre à côté de ce jeune homme pareil en somme à tous ceux de sa génération? Avec leurs jeans délavés, leurs cheveux longs, leurs babioles accrochées autour du cou et surtout, cette façon de n'avoir l'air intéressé par rien. Même pas blasés... Même pas indifférents... Neutres.

«Tu es de Montréal?

— Oui...

Il a fermé la radio.

— Qu'est-ce que tu fais dans ce coin-ci?

— Je suis allé voir des amis qui ont une ferme...»

«Mais comment s'appelait-il déjà, cet ami?» s'est demandé François, de plus en plus troublé.

C'était comme si, par la seule présence de l'adolescent, petits fragments de miroir brisé, griffes de petits animaux aux pattes dépassant de tiroirs entrouverts, des moments perdus se réveillaient en lui... Des moments oubliés... C'était sans doute la fatigue... le trop de travail des derniers jours...

«Tu te défendais encore... Tu cherchais des prétextes...»

Germaine est entrée dans la salle à dîner du petit hôtel de...

Christian a retiré sa main...

«Elle va finir par nous voir, a-t-il averti François, la semaine précédente. La dernière fois qu'ils se sont vus.
— C'est agréable de jouer avec le feu, non!» a répondu celui-ci, l'air cabotin.
Il avait un peu trop bu, ce soir-là.

«Qu'est-ce que vous allez prendre?»
Germaine est serveuse, réceptionniste, barmaid, lingère... Elle a l'oeil à tout... Même sur le «neveu» de Monsieur Dubois...
«Peut-être qu'il ne m'aime plus, après ce qui s'est passé la semaine dernière...»

Il relève la tête de son menu vers Christian, l'air faussement affairé.
«Tu choisis le premier?»

Une fois par semaine, depuis un mois et demi maintenant, ils se rencontrent dans une chambre du petit hôtel de la petite ville de ... .
François a imaginé tout un scénario.

Après le souper — où ne viennent, en général, que les pensionnaires de l'hôtel qui sont, eux aussi, des gens discrets —, il va prendre un verre ou deux au bar. Christian monte à la chambre qu'il a louée à son arrivée. Une demi-heure plus tard, François enfile son manteau et, le chapeau à la main, après force bonsoirs à tout le monde, feint de retourner chez lui. En réalité, dès qu'il est dans le hall d'entrée de l'hôtel, et s'il n'y a personne en vue, il grimpe le petit escalier qui mène au deuxième... Ils parlent le moins possible...

«Ça m'énerve d'avoir à parler tout bas, lui a dit Christian une fois. On se croirait dans un confessionnal...
— Il n'y a pas d'autre façon. Je ne peux quand même pas t'emmener chez moi...»

Assis au milieu du lit où il s'était étendu en l'attendant, Christian retirera son pull de laine. François s'approchera de lui, le geste gauche, presque intimidé... sans bien comprendre ce qui lui arrivera une autre fois... C'est comme...

«C'est comme si avant lui, jusqu'à lui, il avait toujours manqué quelque chose à ma vie... Quelque chose... Quoi, je ne sais pas...»

«Touche ma main comme elle tremble...

— C'est parce que t'es vieux», lui répondra Christian dans un sourire.

Ce sourire... ce sourire si beau... Comme tout ce qu'il est... Dans le moindre de ses gestes... de ses silences...

«Sa lumière!»

Pas seulement celle de ses yeux... celle de tout son corps... Quand il marche... Quand il sourit... Quand...

Cette lumière, François voudrait en boire, la boire... La voler... Il voudrait y entrer... Ou s'y perdre? Comme on dit de certains oiseaux devenus fous qu'ils essaient de monter jusqu'au soleil pour s'y noyer... Ou comme des phalènes se cognent inlassablement, jusqu'à l'étourdissement final, au lumières des lampadaires, l'été...

«Christian... Christian... Christian...» répètera-t-il, les yeux fermés, comme pour se convaincre que ce qui lui arrive est réel, que c'est bien lui qui est là... Lui, François Dubois... Le vrai François... Pas l'autre... L'autre aperçu une fois, dans une flaque d'eau, lors d'une promenade avec Christian... Un homme vieux, gris, ridé, gêné même dans ses gestes...

«Touche-moi et je saurai que je ne rêve pas...»

De l'index, Christian lui touchera le front, comme y dessinant les signes d'une liberté connue de lui seul.

«Toute ma vie jusqu'à lui comme un ciel gris traversé de rares soleils...»

«Alors?

Germaine n'aime pas qu'on la fasse attendre pour rien.

— Moi, Germaine, je prendrai...»

«J'avais quatorze ou quinze ans... J'étais au collège... J'avais cet ami... Pierre qu'il s'appelait...»

Un homme apparaît dans l'embrasure de la porte de la salle à dîner. Emmitouflé dans un manteau de fourrure, moustaches et cheveux grisonnants, l'air épanoui. À son bras, de côté, comme désirant ne pas être vue, une femme tout en cheveux montés, faux cils, maquillage...

«Salut! François!

— Bonsoir, Conrad!»

Ce dernier a un coup de tête bref vers la femme puis un clin d'oeil qui en dit long. François acquiesce d'un sourire un peu forcé.

Le couple disparaît en direction du bar.

«Tu connais tout le monde dans cette ville?

— Presque...»

«Un jour — c'était en automne, je m'en souviens à cause des feuilles tombées sous le grand chêne du coin du préau —, alors que nous nous promenions tous les deux, il m'a dit qu'il avait un secret à me confier. «Mais tu dois ne jamais le révéler à personne», a-t-il ajouté, comme hésitant encore à parler. Mi-curieux, mi-touché par cet air qu'il avait, j'ai promis. Alors, dans un seul souffle, comme s'il gardait cette chose en lui depuis longtemps, il m'a dit qu'il m'aimait. Il y avait deux ans que nous étions amis. On nous voyait toujours ensemble partout. Je n'ai pas compris tout de suite. J'avais entendu parler de ce genre d'amitié. Je savais qu'il se passait des choses au collège. Mais, parce que, dans ma famille, on avait toujours tourné ces choses en ridicule, et surtout à cause du groupe d'amis dans lequel je me tenais quand je n'étais pas avec lui, j'ai eu peur. De lui ou de moi, je ne sais pas...»

Appuyé d'un coude sur l'oreille, fixant le bout de sa cigarette, Christian écoutait.

«Ce qui devait arriver arriva. Depuis sa révélation, j'avais évité Pierre. Il m'avait souvent suivi de loin des yeux. J'avais feint de ne pas le remarquer. Mais cela m'exaspérait. Soit par crainte des doutes des autres, soit pour me grandir auprès d'eux par une bonne farce, je l'ai trahi. Un soir, au réfectoire...

«Savez-vous que Pierre m'a confié un secret...

J'ai vu toutes les têtes se lever vers moi, puis se tourner vers lui. Le tout dans le plus grand silence.

— Il m'a dit qu'il m'aimait...»

Je l'ai vu pâlir puis, comme un fou, quitter la table en renversant sa chaise. Tout de suite après, au milieu de mon petit triomphe, je me suis haï pour ce que je venais de faire. J'avais trahi un ami. La nuit même, avant de m'endormir, je me suis dit: «Peut-être qu'il n'est pas trop tard. Je puis peut-être encore tout arranger, dire que ce n'était qu'une blague!» Mais le mal était fait et, deux semaines plus tard, en proie aux moqueries générales, il quittait le collège.»

François était assis au bord du lit, son chapeau à la main, prêt à partir depuis longtemps.

«Après le collège, je me suis marié. Comme les études que j'avais faites ne me servaient pratiquement à rien, je me suis, comme on dit, «lancé en affaires». Je suis devenu un «honnête citoyen» de cette ville. J'ai eu deux enfants. Une fille et un garçon qui a presque ton âge. Quel âge as-tu à propos?

— Vingt et un ans.

— Je t'aurais cru plus jeune...

Le silence est revenu un instant entre eux. Rythmé seulement par le tambourinement de la pluie contre la vitre...

— Et tu regrettes toujours?

— Quoi?

François était ailleurs depuis quelques secondes.

— Ce qui est arrivé...

La semaine dernière... Le jour où...

— Je ne sais pas...

Après un silence, il a repris...

— Est-ce que tu couches avec les filles?

À son tour, Christian était ailleurs...

— C'est drôle, a continué François, ce n'est pas de l'amour que j'ai pour toi... C'est comme un envoûtement... comme une curiosité... Je voudrais en même temps te posséder et te savoir libre...

— Comme un animal en cage, a continué Christian...

— Je sais bien que c'est impossible mais c'est comme ça...

— T'es naïf...

— Naïf?

— Naïf.

Cette manière de parler de Christian, comme si pour lui tout était l'évidence-même...

— Explique-toi... Mais d'abord, réponds donc à ma question...

— Laquelle?

— Est-ce que tu couches avec les filles?

— Oui, ça m'arrive... Ça te rassure?

Ils se lançaient toutes ces petites choses sans queue ni tête qu'on se lance avant... ou après. Avant, pour éveiller l'amour, après, pour finir de l'endormir...

«Naïf et en retard, c'est ainsi que je te vois. En retard de vingt-cinq ans sur l'animal en toi. Naïf de te croire à l'abri de lui parce que tu vas retrouver tantôt ta vie de tous les jours. Tu te crois coupable d'avoir trahi un ami il y a longtemps... C'est de t'être trahi toi-même... Il y a toujours une réciprocité dans le désir, où qu'elle se trouve. Tu devais avoir secrètement envie de Pierre...

— Pourtant, j'ai toujours aimé ma femme et je l'aime encore...

— Ça n'a rien à voir... Si tu n'avais pas désiré Pierre, tu n'aurais pas agi comme tu l'as fait... Tu lui aurais simplement fait comprendre qu'il ne t'attirait pas et vous seriez restés amis...

— C'est possible...

— C'est en quête de toi-même, d'une partie de toi cent fois niée mais qui se libère aujourd'hui, je ne sais pas à cause de quoi, que tu t'es mis... Je suis là pour te servir de miroir...

François ne parlait plus, comme s'alourdissant des paroles de Christian...

— Je suis sûr que tu n'arrives même pas à parler avec ton fils tant tu redoutes le moindre contact physique avec lui...

— ...

— Tu t'imagines peut-être parfois, dans ta peur et pour te sécuriser, que je ne reviens ici que pour l'argent que tu me donnes. Ça n'a rien à voir. Je reviens parce que j'aime être avec toi, c'est tout. J'entre dans ta vie et ta vie est à l'envers. Mais ce n'est que parce que tu es en retard.

Tu aurais pu faire l'amour ou ne pas faire l'amour avec Pierre. Ça n'aurait rien changé sauf que tu ne serais pas resté accroché à ton désir... Tu aurais probablement découvert qu'il était pareil à toi et vous auriez continué d'être amis... Au lieu de ça, tu l'as trahi et puis, peu à peu, pour satisfaire l'animal blessé en toi, tu as inventé un monde magique et mystérieux caché derrière ce désir... Un monde qui te fascine et te fait peur en même temps... Un monde de liberté que tu me prêtes aujourd'hui, incapable de le retrouver en toi... Incapable de le retrouver tout simplement parce qu'il n'existe pas... Qui ne peut exister qu'à l'instant présent... C'est comme pour la ferme. Je suis sûr que tu as imaginé un tas de choses sur ce qui pouvait s'y passer... Et c'est pour cela que je n'ai jamais voulu t'y emmener...

— ...

— Maintenant, pour retrouver ton instant présent, il te faut toute une comédie... Je te sers d'ami, de fils, de confident, de «neveu»... Mais là encore tu es en retard sur moi...

— Et si je restais ici avec toi, cette nuit?

— Quand je te disais que tu étais naïf...»

Ils mangent en silence.

«À quoi tu penses?

— À rien», répond Christian.

François, lui, songe à ce que Christian lui a dit à propos d'instant présent. Ça lui est revenu plusieurs fois pendant la semaine. Chaque fois qu'il a pensé à lui, en fait...

L'instant présent...

«C'est peut-être possible à vingt ou vingt et un ans, mais à quarante, c'est une utopie...»

Et pourtant...

Il aura revécu leur histoire bribe par bribe.

En approchant de Montréal, ce vendredi-là, le premier jour, il aura proposé à Christian de l'aider, en échange de quelques dollars, mi à cause de la fatigue, mi à cause de la sympathie éprouvée pour lui, à livrer la commande. Les petites boîtes si lourdes...

«J'ai dû me charger moi-même de ce travail... Il n'y avait plus de livreur à la compagnie quand monsieur McDonald a téléphoné», aura-t-il expliqué.

Ensuite, il lui aura proposé de venir souper avec lui au restaurant. Ensuite, ils seront allés prendre une bière ensemble dans un club du centre-ville. Un endroit choisi par Christian.
«Le Chat bleu, ça s'appelle... J'y vais souvent... C'est pas mal...»

En parlant avec lui, à mesure qu'ils se seront rapprochés l'un de l'autre, il aura appris que Christian a abandonné ses études depuis longtemps, qu'il ne travaille pas, qu'il n'a même pas d'appartement ou de chambre où habiter mais que, vivant au jour le jour, il ne s'en fait pas...

«Je pourrais peut-être te trouver du travail...»
Il lui aura donné sa carte.

La semaine suivante, revenu voir ses amis de la ferme, Christian lui aura téléphoné...
«Rattraper les retards... tous les retards», se sera dit François.
L'idée sera venue d'elle-même.
«Et si je lui payais un appartement à Montréal...»

«Je croyais que tu ne reviendrais pas cette semaine, commence-t-il.
— Je ne suis pas vraiment revenu...
— Comment ça?
Christian ne répond pas. Comme si ce qu'il avait dit était suffisamment clair pour n'avoir pas à y ajouter une explication. François ne comprend pas. Ou trop?

— Pourquoi?
Il y a Diane, la soeur de Paul, rencontrée l'après-midi... Mais ça ne lui dit rien d'en parler...
— Comme ça... Tiens! la première neige!» dit-il, les yeux tournés vers la fenêtre, ailleurs, loin déjà...

La chronique impossible

ET, l'âge d'or tardant trop, le dernier jour était venu. Ce jour dont rêvait encore, maintenant, sous la lune rouge, aux souffles légers du vent, un vieil homme seul. Un vieil homme aux yeux d'un bleu très doux.

Ça lui avait jailli dans la mémoire, juste l'instant d'avant. Lui avait surgi dans la mémoire, de très loin, comme un poids brusque, une gêne, presque un regret. Un creux bref. Comme un coup de griffe. Court. Vif.

«J'obéissais aux ordres. Je ne suis pas coupable de ce qui est arrivé ce jour-là...»

Pas coupable... Il sourit. Il savait qu'il était seul désormais. Qu'il n'y aurait plus jamais personne pour l'entendre. Pour le surprendre à rêver quand il s'abandonnait à rêver, comme cette nuit où le ciel était si clair, et l'air si tendre, malgré tout. Plus personne pour lire les dernières notes de son journal. Eve et Michel avaient à jamais quitté les cités. Ils devaient être rendus loin maintenant...

«J'obéissais...»

Ce jour-là... Le jour 1 de l'an 1...

10...

Tout était au point depuis longtemps. Ils ne se rendraient compte de rien.

9...
Il n'avait vraiment plus été possible d'attendre.
8...
Longtemps on avait espéré qu'ils comprendraient.
7...
«Un, deux, trois, quat', cinq, six, sept...
Une petite fille folle dansait à la corde au bord d'un précipice.
...Violette, Violette...»
6...
Ça s'obstinait en eux. Ça s'acharnait. Comme la voix de cette petite fille, criarde, entêtée, hors de ton. Pas une petite fille, un démon...
5...
Ça n'avait rien donné. Leurs efforts. Leur patience. Leur amour.
4...
Sous prétexte de liberté, ils refusaient d'entrer dans la ronde.
3...
Leur fierté, leur belle mais inutile fierté, toute pétrie d'attachement aux superstitions, aux traditions, aux illusions de la puissance et de la possession, les aveuglait. C'était vite devenu une évidence, aux yeux des dix mille, que les homme préféreraient toujours un malheur qu'ils connaissaient à un bonheur sûr mais trop nouveau pour eux.
2...
Il n'avait plus été possible d'espérer.
1...
Il n'avait pas tremblé.
«Je n'étais que le dix-millième d'une volonté plus forte que tout... Je n'étais que le doigt... Et c'était notre dernière chance... La dernière chance...»

Zér...

Haut dans le ciel, exactement comme si une seconde la terre avait chancelé sur son axe, il y avait eu un éclair. Et puis, l'instant d'après, l'explosion. Comme si des millions de soleils se précipitaient les uns vers les autres, s'étaient donné rendez-vous en un point précis de l'espace, pour repartir aussitôt, une fois ce point touché, dans tous les angles de la surface du globe, rasant, renversant, anéantissant tout sur leur passage, dans un grondement assourdissant, un seul souffle de feu. Tout avait été prévu dans le moindre détail.

Ce n'est qu'après de longues recherches et de nombreuses tentatives de convaincre les grands d'alors d'abandonner la course aux armements et d'adopter son plan de paix que l'Ordre en était arrivé à cette conclusion de volte-face que la destruction et l'établissement d'une société parallèle demeuraient la seule chance de survie de l'humanité. La planète était depuis longtemps surpeuplée. La barbarie reprenait son règne. L'automation, si elle avait rendu possible un million de prodiges, avait, en effet, contre toute prévision, libéré en l'homme, en même temps qu'elle l'affranchissait des besoins primaires et des contraintes du travail, une énergie nouvelle désormais hors de contrôle. On assistait, impuissants, à la résurgence des forces qu'on avait le plus combattues, celles de la magie, et à la naissance d'autres, défiant toute logique, attribuées à des mutations.

Longtemps on avait tenté de baîllonner l'information officielle pour perpétuer une certaine vision heureuse du monde à laquelle plus personne ne pouvait croire. De jour en jour, les faits avaient percé, inquiétants, incompréhensibles. Ici, c'était une ville entière terrorisée depuis des mois par une bande de jeunes garçons de huit à douze ans qui, armés de seules tiges de fer, en avaient pris possession, sans que la police ou l'armée aient pu intervenir d'aucune façon — c'était bien cela, le plus étrange. Là, c'était le suicide collectif des employés d'une usine de produits chimiques qui, un après-midi, après l'heure du goûter, se mettaient en marche vers la mer et y entraient, en extase, jusqu'à se noyer, en chantant. Ailleurs, c'étaient des autodafés monstres où les étudiants brûlaient en silence tout ce qui leur tombait sous la main, même les journalistes venus enquêter.

Pour avoir été sérieux trop longtemps, le monde avait-il eu une dette de folie à payer à la nature, par une manière de loi d'équilibre, au mécanisme inconnu? On ne comprenait pas. Tout ce qu'on pouvait constater, c'est que c'était comme si la terre retombait en enfance. L'enfance avec tout son charme, sa grâce, sa générosité, sa soif d'absolu mais aussi sa violence, sa cruauté, son cabotinage, son amour inconditionnel de la gratuité. On s'était dit, à l'Ordre, qu'il ne s'agissait là que de phénomènes sporadiques, éphémères, de réaction à une évolution trop rapide. Le chaos était allé grandissant. Les événements des derniers temps avaient donné raison aux plus pessimistes. Le rapprochement entre l'Est et l'Ouest, sur lequel on avait beaucoup compté pour le relâchement des tensions qui, plus que tout peut-être, minaient le moral des masses, avait tourné à l'impasse. Les média s'étant emparés de l'affaire des propositions du plan de paix de l'Ordre à la Société des Nations, l'Opinion s'était échauffée.

Ne pouvant trouver les vrais responsables, on avait voulu faire de l'Ordre le bouc émissaire de tous les maux. Celui-ci n'avait-il pas osé proposer, comme phase un de son plan, l'abolition sans conditions de toutes les frontières et la création d'une monnaie universelle! Cette seule proposition avait fait rugir les plus doux des modérés. Toute forme d'intérêt privé ou public s'y était sentie attaquée dans son existence même. Et que dire de celle, couronnant le plan, qui avançait que tant que chaque être n'aurait pas accédé à l'individualité et à sa loi parallèle de respect de l'autre, sans distinction de race, de sexe, de foi ou de quotient intellectuel, la paix demeurerait un rêve!

Tous ceux qui avaient pu se croire jusqu'alors importants, voire nécessaires, à l'évolution du monde, s'étaient levés en bloc pour condamner l'Ordre comme utopique, rétrograde, inhumain. On était allé jusqu'à payer des fanatiques pour s'attaquer à trois de ses porte-parole sortant d'une conférence télévisée. Deux avaient été assassinés.

L'Ordre avait répondu à tant d'inconscience par le vote secret, unilatéral, et passé dans le plus grand calme, de la fin du monde. Encore quinze ou vingt ans et, de toute manière, ce l'eût été.

N'avaient donc échappé à l'explosion du jour 1 de l'an 1 que ceux qui la provoquaient, les dix mille de l'Ordre, descendus quelques jours ou quelques heures — selon les distances à parcourir — avant l'instant 0, dans les cités souterraines depuis longtemps préparées pour les recevoir. L'Opinion n'avait pas eu le temps de s'émouvoir de la disparition si rapide d'autant de gens éminents. Car certains des plus grands savant étaient membres de l'Ordre, le projet de celui-ci ayant d'abord germé lors d'un congrès mondial pour l'unification des sciences. Au début, ils n'étaient que quelques-uns. Ce jour-là, ils étaient dix mille dans l'arche du nouveau monde.

«Mmm... mmm...»

Le vieil homme ouvrit les yeux un instant, regardant tout autour de lui. Il avait cru entendre une voix de femme ou de jeune fille. Eve?... Mais non! Ce n'était que le vent. Le même vent doux, fou comme une caresse de lune...
Il aperçut son journal entre ses pieds dans l'herbe nouvelle, le prit, l'ouvrit au hasard.

«AUJOURD'HUI UN FOL ESPOIR M'EST VENU. CELUI QUE D'AUTRES PLANÈTES, D'UNE AUTRE PLANÈTE, QUELQU'UN VIENDRAIT ME CHERCHER...»

Quand avait-il écrit cela? Hier? Avant-hier?
Laissant retomber son journal du bout des doigts, il reprit sa rêverie.

Il y avait, formant comme les branches d'une croix, quatre cités électroniquement reliées entre elles et pourvues de tout le matériel nécessaire à un demi-siècle au moins de survie. Encore vingt-cinq ans et les radiations de surface s'étant neutralisées, l'Ordre s'établirait au grand jour. Qu'étaient vingt-cinq ans contre la promesse d'un monde nouveau où les hommes vivraient en paix et en harmonie?

On aurait voulu faire entrer le plus de gens possible dans les cités. On avait bien été forcés d'opérer une sélection de ceux qui passeraient ce premier quart de siècle sous terre et qui, tout en pouvant s'adapter à ces conditions de vie, contribueraient à la réalisation du plan de paix de l'Ordre, repris intégralement. L'obligation où l'on avait été de garder l'existence des cités secrète avait rendu le recrutement difficile. Il fallait trouver des gens qui, tout en ayant déjà accédé à une vie intérieure autonome, étaient demeurés malléables mentalement. On tenait, en outre, à reconstituer la richesse de l'expression humaine le plus fidèlement possible. On avait procédé de deux façons. La première consistait en de petites annonces placées dans les journaux où l'on proposait aux intéressés une «expérience». On leur faisait passer des tests de sensibilité. S'ils offraient des signes d'une adaptation possible, ils étaient engagés et devaient immédiatement gagner leurs postes dans une des cités, sans espoir de retour en arrière. Ce fut, au dire des interviewers, une manière pénible de procéder, neuf candidats sur dix étant, pour une raison ou pour une autre, refusés. De voir ceux qu'ils allaient bientôt participer à détruire, et surtout de les voir dans leur réalité la plus intime, la plus quotidienne, en poussa quelques-uns à la folie. La deuxième façon, qui eut vite la faveur, se résumait en l'élection à la majorité de gens connus des membres de l'Ordre.

On s'était d'abord arrêtés au nombre de huit mille membres. On était vite arrivés à celui de dix mille.

L'ère nouvelle était venue.

Un jour ordinaire de l'Ordre se divisait comme suit: vingt minutes d'éducation, une heure ou plus de travail, de deux à dix minutes de reconditionnement. Ce, pour tous et chacun des membres, homme, femme ou enfant, la hiérarchie s'étant établie dans les cités non du haut vers le bas ou du bas vers le haut, selon la fonction ou la spécialisation cumulée par un individu, mais selon l'unité de la personne, l'homme universel étant conçu comme une chaîne d'identités recouvrant dans le temps les identités possibles de tous. De sorte qu'il ne pouvait exister «un» intellectuel ou «un» laveur de planchers, ces deux rôles pouvant être — et l'étant, à un moment donné ou à un autre — occupés par la même personne. Si, au début, quelques-uns s'étaient montrés réticents à cette politique, ils s'y étaient vite ralliés, comprenant qu'en elle vivait la loi première de l'harmonie générale.

L'éducation consistait en bombardements d'informations objectives, au choix de chacun des membres.Le travail, en divers soins et tâches (dont les soins à donner aux animaux et plantes dont on avait, sous dômes de verre anti-radiations émergés à la lumière du soleil quelques jours après l'explosion, reconstitué toute la variété). Le reconditionnement consistait en un massage quotidien du cerveau, un colossal ordinateur conçu à cet effet compilant et programmant sous forme de pensée du jour les idées de tous et chacun. Le reste du jour était consacré à la méditation, aux travaux personnels, à la musique, aux bains multi-sensoriels de groupe, etc... Qui aurait pu manquer, dans un milieu qui, tout en tenant compte de ses pensées les plus intimes, le laissait libre d'être heureux? Le mot d'ordre des dix mille aurait peut-être pu s'écrire ainsi: l'homme de paix ne rêve plus. Il vit son rêve, rêve sa vie. Entre les deux, il n'y a plus de différence.

«SI D'ICI TROIS SEMAINES — ON N'A PAS TROUVÉ — DES QUANTITÉS SUFFISANTES DE SUC MNOZ — TOUS LES MEMBRES DE L'ORDRE SERONT EXPOSÉS — AU DANGER LE PLUS GRAVE...»

C'est ce qu'eurent la surprise de s'entendre dire ceux qui se rendirent les premiers, l'avant-midi du 3 mars de l'an 24, aux tables d'écoute de Love, l'ordinateur-synthétiseur. Un instant, on crut qu'il s'agissait d'une blague, Love s'amusant souvent à émettre des données impossibles. Ce n'était pas une blague.

«IL S'AGIT D'UN SUC ESSENTIEL — AU BON FONCTIONNEMENT DU THALAMUS, poursuivait Love. DES QUANTITÉS DU SUC — EN QUESTION — INSYNTHÉTISABLE CHIMIQUEMENT — ONT ÉTÉ CEPENDANT DÉTECTÉES PAR MOI — LE LONG DU LITTORAL DE L'ATLANTIQUE — QUELQUE PART VERS CE QUI SE NOMMAIT AUTREFOIS LA GASPÉSIE — CE QUI M'ÉCHAPPE...»

«Quels étaient les derniers mots du message?» se demanda le vieil homme en rouvrant les yeux, puis reprenant son journal, cette phrase y étant écrite à la première page. Un mois qu'il le tenait maintenant, jour après jour.

«CE QUI M'ÉCHAPPE ENCORE — C'EST QUE CE SONT — DES QUANTITÉS COMME MOBILES.»

Leur trop long séjour sous terre était-il cause de l'appauvrissement en suc MNOZ — jusque-là inconnu — des dix mille? Aux question des biochimistes, Love répondit qu'il l'ignorait. Tout ce qu'il avait pu déceler, c'était les signes avant-coureurs, chez plusieurs membres, d'un mal nouveau, soit un dessèchement du thalamus lequel menait, à court terme, à un dessèchement de tout l'organisme, puis à la mort. Il ajoutait qu'une injection de MNOZ était nécessaire, d'ici trois semaines, à chacun des membres de l'Ordre. Les biochimistes demandèrent à Love de préciser son message quant aux «quantités comme mobiles». S'agissait-il d'un suc sécrété par les plantes qui commençaient à ressurgir de toutes parts à la surface du globe (les écrans de télévision sur lesquels on avait suivi l'évolution de celle-ci donnant en effet, depuis quelques temps, l'image de végétations nouvelles, hautes en couleurs, d'un dessin et d'une délicatesse incroyables, éphémères pour la plupart)? Love répondit que non. Il s'agissait d'autre chose.

La préparation du retour sur terre des dix mille — prévu pour quelques semaines plus tard — canalisait depuis quelque temps toutes les énergies. À l'annonce du péril encouru, ces préparatifs, de même que toute recherche, furent suspendus. Il fallait trouver avant tout le suc sans lequel la vie devenait impossible. Des équipes se formèrent qui furent aussitôt envoyées se déplaçant dans de petits avions — vers la région désignée par Love. On avait trois semaines et trois semaines, c'était peu. Une fièvre étrange commença à régner dans les cités. Pour la première fois, on avait peur. Pour la première fois aussi, on espérait «quelque chose»...

Le troisième jour tirait à sa fin. Les équipes qui ne pouvaient rester à l'extérieur des cités plus de douze heures — à cause des radiations qui, dans un dernier cycle d'escalade, étaient plus fortes que jamais, étaient jusque-là toutes rentrées bredouilles.

«Tu vois ce que je vois

— ...

— Ce n'est pas possible...

— ...

— Mais qu'est-ce que ça peut être?»

C'est presque par chance que deux techniciens chargés d'observer les bords de la mer sur un écran aperçurent soudain, ce soir-là, à la surface des eaux, un léger remous d'écume inhabituel. Ce qu'ils virents, ils hésitèrent à y croire, se demandant si, à force de scruter l'écran, ils n'en étaient pas venus à l'hallucination.

Sous la lune, trois formes indéfinies s'avançaient, fendant l'eau calme comme un miroir, ne laissant derrière elles qu'un léger sillage. Les yeux seuls émergeaient de ce qu'on eût dit des carapaces. Des yeux petits, ronds, durs, d'où émanait pourtant «une lumière humaine». Les formes atteignirent les sables, s'enfouissant bientôt, une à une, sans laisser la moindre trace.

«On aurait dit des êtres préhistoriques, ou venus d'une autre planète», écrivit l'un des deux techniciens dans son compte rendu de l'événement à l'Ordre.

La nouvelle fit le tour des cités en cinq minutes. Les formes découvertes étaient peut-être détentrices du suc MNOZ.

Pendant que de nouvelles équipes partaient, armées de dards et de harpons cette fois, à leur recherche, Love élabora, à partir du comte rendu des deux techniciens, la théorie suivante. Les enfibies — pour enfants amphibies — étaient vraisemblablement des mutants. Des enfants en bas âge qui, à cause de leur plasticité très grande, avaient survécu au cataclysme de l'instant 0. Ils pouvaient s'être trouvés, au moment de l'explosion, dans un abri naturel. Une grotte, par exemple. Comment ils s'étaient adaptés aux conditions de vie nouvelle — radiations, manque de nourriture, etc... —, c'était une autre question. Mais de toutes les possibilités, c'était la plus admissible. Dans le cas de la survivance d'une espèce animale, les forment eussent eu une quelconque ressemblance avec le scorpion ou le mille-pattes, ces insectes seuls pouvant s'adapter à un fort taux de radioactivité. Elles n'en avaient pas. Dans le cas de la venue sur terre d'extra-terrestres, les radars de Love n'auraient pas manqué de l'enregistrer. Quant à la possibilité de la naissance d'une espèce nouvelle, il ne pouvait en être question. Un seul fait demeurait inexplicable: qu'on n'ait pas détecté la présence des «enfibies» avant ce jour-là. Peut-être parce qu'ils avaient toujours vécu enfouis dans les sables.

Au bout de huit heures, une équipe rentrait dans une agitation indicible. Elle avait capturé une des formes. Cela n'avait pas été sans mal, celle-ci étant dotée, malgré sa petite taille — celle d'un gros chat —, d'une force extraordinaire. On l'avait aperçue, au détour d'un rocher, mi-debout, mi-enfouie dans le sable, les yeux tournés vers la lune, qu'elle semblait fixer avec intensité. On s'était approchés d'elle le plus doucement possible. La forme, se rendant compte de la présence de l'équipe, s'était retournée, d'un bond, vers elle. On s'était arrêtés un instant. La forme avait regardé chacun des membres de l'équipe, neutrement, comme attendant un premier geste pour réagir. C'est quand on avait voulu lancer un filet sur elle qu'elle avait foncé, pattes premières, vers ses assaillants dont un — celui qui tenait le filet — avait eu une main tranchée net. On aurait voulu la prendre vivante. On avait dû l'abattre.

«Le plus étrange — à part l'expression des yeux — c'est le cri qu'elle a eu en mourant. Un cri comme celui d'une sirène d'alarme, en dix fois plus aigu. Un cri qui durait encore, emplissant l'air d'une vibration à rendre fou n'importe qui, longtemps après qu'elle eut cessé de remuer sous les harpons...»

On découpa le filet dans lequel on l'avait transportée en toute hâte. Ce fut, autour de la table où l'on s'était installés, un mouvement de recul général. Dans l'obscurité, on avait à peine vu la forme. À la lumière...

Recroquevillée sur elle-même, la forme offrait, en dépit d'une carapace épaisse, fusoïde, les traits d'un corps humain. Love ne s'était pas trompé dans sa théorie. On aurait vraiment dit le corps d'un jeune enfant doublé de celui d'un crabe. Jusqu'à la peau qui, malgré une pigmentation différente — donnant une couleur gris-ocre — offrait, dans ses replis, la texture de celle d'un humain. Fait étrange, la créature était androgyne.

On finit, malgré la répulsion, par la disséquer. On ne trouva en elle, mais en grande quantité, qu'un suc. Un suc vert pâle, un peu de la couleur d'une chair d'avocat, dont on se hâta de soumettre l'analyse — incomplète d'ailleurs — à Love. Celui-ci répondit qu'il ignorait s'il s'agissait du suc recherché, qu'il n'y avait qu'une manière de le découvrir: d'injecter une dose de MNOZ à des volontaires. Trois se présentèrent qui, une heure plus tard, furent soumis à Love.

«TEST POSITIF — LE THALAMUS REFONCTIONNE NORMALEMENT...»

Quand on voulut en injecter à d'autres membres, on se rendit compte que le suc s'était corrompu. Il était devenu inutilisable. Des équipes plus nombreuses se formèrent. Une chasse massive aux enfibies allait commencer.

«Pour le reste...» se dit le vieil homme en ouvrant son journal...

FRAGMENTS DU JOURNAL DU VIEIL HOMME

Le 7 mars 24: Rencontré Eve et Michel, volontaires avec moi pour l'injection expérimentale de MNOZ. Nous étions tous trois un peu nerveux. Le jeune homme ne m'est pas très sympathique. Quelque chose d'inculte, de barbare en lui. Eve, en revanche, est charmante. Je me suis surpris à imaginer ce que cela pourrait être si nous devions demeurer les seuls survivants. Il y avait bien longtemps que je n'avais pas rêvé. Et surtout rêvé les yeux ouverts. C'est comme pour ce journal. Ce qui me pousse à l'écrire, je l'ignore. Peut-être la peur... Et surtout l'impossiblité de parler de cette peur à qui que ce soit... Il m'est venu cette idée qu'il n'est peut-être pas d'autre mal que de se croire seul...

Le 8: Climat de folie dans les cités. Personne n'arrive encore à croire ce qui s'est passé cette nuit. Comment raconter? Comment dire qu'au moment où les équipes allaient capturer des enfibies, ceux-ci — et jusqu'au dernier, nous le savons maintenant — ont muté une deuxième fois. C'est à la télévision de l'infirmerie où l'on nous garde sous observation que nous avons, Eve, Michel et moi, suivi la chose. Les équipes avaient repéré puis encerclé les enfibies qui se trouvaient réunis, on ne savait pourquoi (on a vite compris) sur une grande plage. Tout allait se passer, nous disions-nous, comme pour la première forme capturée. C'est quand une équipe a commencé de s'approcher que l'événement a eu lieu. Un enfibie a commencé à crier, suivi bientôt d'un autre, puis d'un autre et finalement, de tous. Un cri... comment dire?... plaintif, aigu, à glacer le sang dans les veines. Et dégageant une vibration à tenir quiconque à distance. Ce qui est arrivé. Personne n'a pu approcher des formes, jusqu'à ce qu'elles se mettent à muter (les harpons lancés vers elles se brisant comme sur un mur magnétique). Alors, quel spectacle! Ce fut comme si de leur cri multiplié à l'infini, et unique, les enfibies éclataient. C'était d'abord comme un légère fissure dans la carapace. Puis l'élargissement de cette fissure et bientôt, dans un nuage de sable, le jaillissement virevoltant d'une manière d'oiseau mi d'or, mi de feu, qui prenait son vol, d'un seul coup, vers le ciel, dans la nuit... C'était... c'était en même temps monstrueux et fascinant. La dernière chance de l'Ordre s'envolait peut-être dans chacun de ces êtres. On ne pouvait s'empêcher de rester ébloui par la vision. Le silence revenu, quand les équipes ont pu s'approcher, il ne restait sur la plage que des mues informes, gélatineuses, transparentes de ce qui avait été les enfibies... Où allaient-ils ainsi? Pourquoi ont-ils choisi, pour muter, le moment précis où on avait besoin d'eux (on ne voulait pas les tuer mais seulement les capturer, extraire un peu de suc d'eux puis les retourner à la nature)? Avaient-ils entre eux un système de communication plus perfectionné que le nôtre? À toutes les questions, Love a répondu qu'il était dans l'ignorance totale. Qu'un seul fait demeurait certain: qu'il n'enregistrait plus aucune présence de suc MNOZ sur la terre, et qu'un départ vers une autre planète, dans le plus bref délai, demeurait la seule chance de découvrir le suc... Ce qui doit être voté ce soir...

Le 9: Départ voté par l'Ordre hier soir. Destination Vénus. Eve, Michel et moi avons, d'un commun accord, demandé la permission de rester sur terre. On nous l'a accordée. Nous sommes chargés de l'ouverture des dômes à la date prévue, soit le 17-18 du mois prochain. D'ici là, travail énorme pour nous, aux dômes, toutes les forces de l'Ordre étant mobilisées à la fabrication des fusées de départ. Celui-ci est prévu pour le 14 de ce mois.

Le 10: Travail fou aux dômes. Eve et Michel se rapprochent de moi. C'est forcé, nos contacts avec les autres devenant, à cause de notre condition, très difficiles. Entre eux et nous, une distance infranchissable...

Le 11: Travail aux dômes. Qu'est-ce que cela sera quand nous libérerons toute cette vie au jour? Et combien de temps avant que la terre ne soit repeuplée et refleurie?

Le 12: Travail aux dômes. Départ de l'Ordre après-demain. 11,203 passagers. 12 fusées.

Le 15: Départ de l'Ordre hier. Instant émouvant. La fin d'un monde...

Le 16: Travail, travail, travail...

Le 17: Cités désertes. Comme un rêve abandonné. Ce n'est qu'aujourd'hui que j'ai réalisé ce qui s'est passé. Que je l'ai réalisé «physiquement».

Le 18: Querelle violente avec Michel aujourd'hui. À cause d'Eve bien sûr. Jamais je n'aurais cru que la jalousie pouvait être un sentiment aussi puissant. Parce qu'il est aimé d'elle, il se croit tout permis. Elle, en parlant de lui: il est fou mais je l'aime bien...

Le 19: Longue conversation avec Eve cet après-midi. Elle me confie — un secret que je dois garder — que Michel lui a demandé de quitter les cités avec lui dès que ce sera possible. Malgré la peine que cela lui fera de me laisser seul, elle a accepté. Elle sent qu'une fois le travail aux dômes achevé les rapports entre lui et moi seront intenables. Elle me demande ensuite de lui faire un enfant. Devant mon air stupéfait, elle m'explique que de ce geste dépend la survie de l'espèce, les enfants qu'elle aura de Michel ne pouvant se marier entre eux. Il n'en saura jamais rien... Ou il l'apprendra beaucoup plus tard. Je souris... et j'accepte.

Le 20: Travailler, dormir, manger, travailler...

Le 18 avril: Départ d'Eve et de Michel demain matin...

Le 21: Sentiment de solitude. Et sentiment d'écrire une chronique impossible... Celle que personne n'aurait pu écrire... Peut-être, plus tard, les descendants d'Eve et de Michel...

Le 22: AUJOURD'HUI UN FOL ESPOIR M'EST VENU. CELUI QUE D'AUTRES PLANÈTES, D'UNE AUTRE PLANÈTE, QUELQU'UN VIENDRAIT ME CHERCHER...

C'est hier qu'il avait écrit cela. Hier, le dernier jour... Le dernier jour de son journal...

L'enfant souriait aux étoiles.

«Comment l'appellerons-nous?»

— Je ne sais pas... On verra...»

Un vampire bien timide

CETTE époque est inconsciente. Elle ne croit à rien. Elle ne croit ni aux anges, ni aux démons, pas même aux fées. Elle ne croit qu'à ce qu'elle voit, et encore! D'ici peu, la magie et la folie, ces deux grandes forces noires du monde, auront, ainsi que des espèces trop fragiles pour s'adapter aux conditions de vie nouvelles, disparu de la surface du globe. Ça, on le croit généralement, Du moins, l'espère-t-on. Ne donne-t-on pas depuis longtemps déjà à la magie le beau nom de «technologie», et à la folie, quelle qu'elle soit, ceux de «trouble passager du fonctionnement», de «liberté individuelle» ou même, oui, de génie! Si elle savait, l'époque, si elle savait que la magie et la folie, les vraies, commencent à être fortes et à agir justement à partir de l'instant précis où on n'y croit plus. Comme le diable, exactement comme le diable. Et que les vampires ont beau jeu en ce temps qui cherche «de toutes ses forces» à ignorer leur existence. Qu'ils n'ont même jamais eu aussi beau jeu... O époque naïve...!

«Des vampires! À deux pas de l'an deux mille! Vous voulez me faire marcher, cher ami...

— J'en ai pourtant rencontrés...

— Vraiment...? Quand ça?

— Il n'y a pas si longtemps...

— Et de quoi avaient-ils l'air?

— Vous ne vous en douteriez jamais...
— Racontez! Racontez-moi tout!
— Tout?
— Tout!»

J'ai bien reconnu là, à ses yeux pétillant soudain, ma chère vieille époque. D'abord indifférente, jouant les désabusées —«j'en ai vue d'autres», semble toujours dire son air, se plaignant de l'ennui le plus mortel mais, dès qu'on accepte un tant soit peu de s'exposer, sans crainte du ridicule ou des retombées, curieuse, candide comme une petite fille...

«Je vous préviens qu'il y a un certain danger à entendre cette histoire...
— Comment?
— On n'évoque jamais les êtres de la nuit sans risquer d'en voir apparaître un ou deux... Bien sûr, si on évoque un elfe ou un farfadet, cela risque d'être drôle... Mais si c'est un vampire...
— Vous cherchez à m'impressionner...
— Ne suis-je pas un peu le vampire de votre précieux silence quand vous m'écoutez...? Et ne suffit-il pas souvent de se rappeler pour appeler...?»

Pendant que, songeuse, ma chère vieille amie se calait, en se croisant les bras comme si elle avait eu un frisson, au creux de son fauteuil, j'en ai profité pour prendre une dernière gorgée de café. De quoi m'éclaircir la voix, moi qui, depuis que je parle moins, l'ai toujours un peu enrouée.

«Je commence?
— Commencez! Je suis tout ouïe.
— En ce temps-là, j'étais étudiant. Jeune étudiant. Si je précise, c'est pour vous bien montrer à quel point je pouvais alors ne croire en rien. Car comment pourrait-on être jeune et étudiant et croire en quelque chose en même temps? Quand on croit, c'est forcément en une chose choisie au détriment de toutes les autres. On ne peut être à la fois ouvert — condition essentielle à l'acquisition de connaissances nouvelles — et fermé — résultat inévitable de

toute croyance. Les deux sont incompatibles. Pour moi, en tout cas, qui me donne toujours tout entier à ce que j'ai à vivre — enfin, j'essaie —, elles l'ont toujours été.

J'étais donc jeune, étudiant et... prétentieux. J'avais vis-à-vis de toutes les questions concernant la magie, l'astrologie et autres sciences dites occultes, non seulement de la méfiance mais encore le mépris le plus total. Ainsi, un ami cherchait-il à m'entraîner dans une discussion sur la métempsychose...

— La vie après la mort...?
— C'est ça... en deux ou trois arguments frappants, je coupais court à ce qui n'était pour moi que charabia de l'imagination en délire. De même, une jeune fille cherchait-elle, à la cafétéria de l'université, à s'ouvrir à moi d'un rêve, j'éclatais d'un rire affreux — le mot n'est pas trop fort. La pauvrette se renvoilait vite en son mystère (je n'avais pas compris qu'elle cherchait seulement à communiquer). Je poussais même si loin mon mépris et, par ailleurs, mon ambition de réussir mes études de psychologie, que je vivais seul. D'ailleurs, qui aurait pu vouloir habiter avec quelqu'un pour qui tout ce qui n'était pas scientifiquement prouvé ou prouvable n'était que poudre jetée aux yeux pour éblouir, fasciner, séduire, abuser! Je vivais donc seul. Ce dont je me prenais parfois, dans mes noirs moments, à me plaindre mais qui, au fond, m'arrangeait, ayant toujours eu un goût profond pour la solitude — je suis Sagittaire...

— Si je comprends bien, aujourd'hui, vous croyez à l'astrologie?
— Comme à l'un des nombreux systèmes d'interprétation du monde, si vous voulez, oui...

— Continuez!
— Je vivais donc seul et avais peu d'amis. Ce qui m'arrangeait encore, même s'il m'arrivait d'envier ces beaux et fortunés compagnons d'études à la vie riche en émotions fortes, qui cherchaient toujours — sans doute à cause de ma réputation d'«esprit fort» — à m'entraîner dans leurs «parties» (le mot seul me choquait).

«Viens donc, bonhomme! Il va y avoir de la bière, du «pot» et des filles...

C'est le fils d'un médecin célèbre qui parlait ainsi.

— Non!»

— Vous viviez en vrai sauvage, quoi!

— Disons que j'étais sérieux. Ce jour-là, un petit samedi creux et gris-jaune d'octobre — un de ces jours à se jeter par la fenêtre, pour rien, comme ça, sans raison, parce que c'est un petit samedi creux et gris-jaune d'octobre —, j'étais dans ma chambre à méditer le magnifique «Malaise dans la civilisation» de Freud quand soudain, on sonna à ma porte. Je jette un coup d'oeil au réveil. Huit heures et quart. Qui pouvait-ce être à cette heure matinale? Je me lève pour aller répondre. J'ouvre. Personne. Seulement, à mes pieds, sur la carpette, une petite lettre carrée, avec inscrit dessus, en lettres noires, à la main, mon nom. J'essaie d'entendre des pas dans l'escalier. Rien. Que le souffle du vent sifflant comme un ange fou. L'auteur de la lettre aura sonné d'en bas... À moins que ce soit un voisin... L'auteur... À la réflexion, c'est peut-être une femme qui m'a écrit. Qui sait? Peut-être ai-je fait une conquête à mon insu (il faut dire que si j'avais peu d'amis, j'avais encore moins d'amies, pour ne pas dire aucune).

En décachetant l'enveloppe, la curiosité me brûlait les doigts. Chère curiosité qui m'aura joué tous les tours de ma vie. Qui m'aura bien souvent fait perdre un temps fou et m'aura pourtant, elle seule, tout appris du peu que je sais.

«Le Club a l'honneur de vous inviter à sa grande réunion annuelle. Prière de présenter cette carte à l'entrée. Tenue de ville obligatoire.»

Suivaient l'adresse du club ainsi que le jour et l'heure de la réunion.

«Mais c'est ce soir!...»

«Encore une attrape!» me cria ma méfiance.

Je jetai la carte d'invitation sur ma table de travail, bien décidé à tout ignorer de l'affaire.

Pourtant, déjà, quelque chose, comme un point de lumière perçant tout le gris monotone de ce jour, s'était allumé en moi et, quelques instants plus tard, après une courte lecture, à vide, de mon livre, je reprenais la carte dans ma main.

«Le Club a l'honneur...»
Mais de quel club pouvait-il s'agir?

Est-il nécessaire de dire qu'à huit heures et demie, ce soir-là, après bien des hésitations et des questions, je sonnais, mis sur mon trente-six, à l'adresse indiquée sur ma carte d'invitation? C'est que je n'étais pas sorti depuis longtemps. Et les dernières fois où j'étais sorti m'avaient vu rentrer, après des heures d'errance dans les rues de la ville, en quête d'une aventure impossible à trouver — il est bien connu que ce qu'on désire trop, ce n'est que lorsqu'on l'a oublié qu'on l'obtient —, seul et penaud. Il y avait surtout ma curiosité... Et si, si ç'allait être pour moi l'occasion tant attendue de me faire de nouveaux amis, ou une amie, l'occasion de donner un nouveau tournant à ma vie... Cette vie qui, à force de s'acharner sur l'étude des mobiles qui meuvent l'âme humaine, perdait chaque jour un peu plus de sa saveur, de son «jus», si je puis m'exprimer ainsi.

Deux choses surtout m'intriguaient: qui m'avait invité? Pourquoi ne m'avait-on pas envoyé l'invitation par la poste, comme cela se fait toujours? Peut-être n'avait-on songé à m'inviter qu'à la dernière minute...?

Évidemment, toute l'affaire pouvait n'être qu'un truc publicitaire pour lancer une nouvelle discothèque.
«De toute manière, cette vie n'étant qu'une expérience — je pensais ainsi à vingt ans —, qu'ai-je à perdre?»

«Vous êtes en retard..., me gronda gentiment, de la voix la plus douce au monde, la jeune fille qui, au bout de quelques secondes, après que j'eusse poussé le bouton de la sonnette d'entrée de l'immense et sombre maison qui se dressait devant moi, était venue me répondre.
— C'est que j'ai bien failli me perdre, répondis-je, comme pour m'excuser.

En effet, ce n'était qu'après avoir perdu deux ou trois fois ma direction que j'avais finalement, dans le dédale des rues de la vieille partie de la ville, déniché la minuscule rue, une impasse, où se trouvait le Club. Et ce, sous la pluie battante.

La jeune fille souriait.
— Moi aussi, la première fois, me confia-t-elle.
Il semblait que nous n'eussions plus rien à nous dire.
— Venez!»

Nous enfilâmes un corridor. Nous dûmes marcher deux minutes, tout au plus. J'eus l'impression, moi, tant j'étais séduit par la beauté de mon jeune guide, que cela dura des heures. On aurait dit, en effet, tant ses vibrations étaient fortes, que la jeune fille était de feu. Un feu qu'elle n'aurait revêtu que par délicatesse, par souci de ne pas éblouir ceux qui, à le voir dans toute son expression, en seraient sans doute devenus aveugles. Ou en auraient été changés en statues de sel. Quel sourire! Quels cheveux! Longs, blonds, soyeux... une vague d'or! Et quelle danse légère que celle de ses pas! Que n'aurais-je donné pour rester avec elle!

Mais nous étions arrivés à destination et entrâmes dans un grand salon où se donnait, dans le tintement caractéristique accompagnant ce genre d'événement, une réception mondaine des plus ordinaires. Ce fut la réflexion que je me fis, moi qui avais, l'année précédente, pendant quelques semaines, beaucoup couru les lancements, vernissages et autres manifestations du genre, jusqu'au moment de découvrir — et dès lors, les fuir — qu'elles n'ont pour unique but, à part, bien sûr, celui de se vendre, que le culte du sentiment d'être «à part» des autres.

J'étais là, un peu perdu, un peu déçu — moi qui, tout le jour durant, avait imaginé mille et une surprises —, quand soudain, de l'autre côté de la foule des gens qui se pressaient en parlant, je crus apercevoir un visage familier. Mais la foule un instant entrouverte s'était déjà refermée sur la vision trop brève. J'allais me frayer un chemin à travers elle, à la recherche du visage connu — mais que je n'arrivais pas à «replacer» —, quand un homme dans la trentaine s'avança vers moi, un verre de je ne sais quel alcool à la main.

«Je n'étais pas sûr que vous viendriez... Lucie m'a tant parlé de vous...

Lucie...? Lucie...? Je ne connaissais aucune jeune fille ou femme de ce nom.

— Au fait, continua l'homme, je me présente: Achille de X...

Il me tendait la main. Une main couverte de bagues. Je la serrai, un peu dépassé par la situation mais sachant feindre la plus grande aisance.

— Puis-je vous demander une chose? repris-je.

La question me brûlait les lèvres depuis trop d'heures.

— Faites! me répondit-il, d'un ton courtois.

— Quelle est la nature exacte de ce club?

Un sourire se dessina sous la moustache de mon interlocuteur.

— Vous avez, j'imagine, trouvé notre invitation bien étrange...

— Pour le moins...

— Eh! bien, il s'agit d'un club très spécial...

— Mais encore...

— Comme vous me rappelez mes vingt ans... Tout de fougue, d'impatience...

Ici, mon interlocuteur sembla éprouver une certaine gêne. Gêne de laquelle il se tira à bon compte. En effet, dans une pièce voisine, adjacente à celle où nous nous trouvions, on sonnait une clochette. Au même instant, le silence gagna la foule.

— La réunion commence... Vous allez tout savoir», me chuchota-t-il à l'oreille tandis que, d'un pas lent, nous nous dirigions vers la pièce dont je ne sortirais pas le même.

Nous étions là, une trentaine de personnes environ, depuis dix minutes, assis sur des fauteuils disposés tout autour de la pièce — dont un seul restait libre —, qu'il ne se passait toujours rien. Ce qui m'avait donné le temps d'identifier le visage précédemment aperçu. C'était elle.

C'était bien elle. Cette jeune fille timide de l'université, aux cheveux noirs, au teint lunaire et aux yeux bleus, qui, chaque fois que j'avais surpris son regard intensément fixé sur moi, baissait les yeux en rougissant et en poussant un soupir. Si cela n'était arrivé qu'une fois, sans doute l'aurais-je oubliée. Mais c'est à plusieurs reprises, ces derniers temps surtout, que c'était arrivé. A la cafétéria, dans les corridors, à la sortie, bref, partout où nos chemins se croisaient. Sans doute, si j'avais été attiré par elle, aurais-je fait les premiers pas. Mais elle était d'un genre qui ne me disait absolument rien. Elle n'était pas, si vous me passez l'expression, de mon «type physique». Petite, fluette, tout en regards et en mines, en un mot, tout le contraire de ce qui pouvait m'attirer chez une jeune fille.

Même ici, la jeune fille semblait intimidée par ma présence. Même si, comme je devais le découvrir bientôt, c'était elle qui m'y avait fait inviter.

Je me serais bien levé pour aller m'asseoir près d'elle et la questionner. Je ne le pouvais, tous les invités semblant, en silence et les yeux fermés, se concentrer profondément. On se préparait à l'arrivée du président.

Celui-ci entra enfin et prit place. C'était un homme dans la cinquantaine, beau, élégant, aux tempes argentées et avec quelque chose, dans l'air comme dans le maintien, d'un homme d'affaires. Après quelques minutes de silence, il commença par ces mots:

«Mes amis, mes chers, très chers amis, voilà donc arrivé le grand moment de notre réunion annuelle. Sans doute, comme moi, l'avez-vous attendu avec impatience. Et brûlant du désir de savoir combien chacun de nous a réussi de mariages cette année. Mais avant de passer au compte de nos succès respectifs, laissez-moi vous présenter celui que, se prévalant de son privilège de reine des amours de l'an dernier, le coeur de Lucie a choisi.»

Je vis rosir la jeune fille. ainsi donc, c'était elle, Lucie... «N'a-t-elle pas droit, elle aussi, ayant réussi l'an dernier trente-deux mariages dont un seul n'a pas tenu le coup — et encore parce qu'un des conjoints, mal préparé aux joies de l'amour, est décédé pendant le voyage de noces —, au bonheur!

Des applaudissement discrets se manifestèrent.

«Bonheur forcé, me direz-vous peut-être. Mais non, mes amis, mais non! En ces temps où l'égoïsme est l'unique loi, où il n'est plus question que de révolution sexuelle, où les hommes sont de moins en moins hommes et les femmes, de moins en moins femmes, où les timides que nous sommes n'ont plus aucune chance — à moins de faire comme nous — d'aimer et d'être aimé, en ces temps, dis-je, le bonheur serait-il encore possible si nous ne lui forcions un peu la main...?

Cette fois, les applaudissements furent nourris. Un vieil homme, à l'air pourtant très digne, cria même d'une voix émue: «Bravo!»

«Lucie...!»

Il donnait la parole à la jeune fille. Celle-ci se leva et s'éclaircit la voix avant de tenir les propos suivants:

«Oui, chers amis, j'ai rencontré ce jeune homme il y a presque un an déjà et, depuis le premier instant, mon coeur ne bat que pour lui. Vous me direz que lui ne m'aime peut-être pas, qu'il lui est même arrivé de se montrer cruel avec des jeunes filles, moi, je l'aime et je sais qu'il sera heureux avec moi...

Je commençais à me demander sérieusement si je n'étais pas dans une maison de fous...

«Car je sais, oui, je sais que, malgré les apparences et sous des dehors méchants et cyniques, c'est un coeur tendre, ô combien tendre!

— Mais qui est donc ce mystérieux jeune homme? demanda une femme que jusque-là je n'avais même pas remarquée.

— Lui!» murmura dans un grand souffle, et rougissant violemment, la jeune fille, en me désignant de la tête.

Tous les regards s'étaient instantanément tournés vers moi. J'aurais voulu être une patte du fauteuil sur lequel j'étais assis.

Une heure plus tard, Lucie et moi étions fiancés.
— Fiancés?
— Eh! oui, fiancés.
— Mais qu'est-ce que les vampires viennent faire dans votre histoire. Et qu'est-ce que ces fiançailles viennent faire là-dedans?

— Vous allez comprendre, répondis-je. Croyez bien que si j'avais su, à ce moment-là, que je me fiançais à un vampire, je n'aurais pas fait long feu auprès d'elle et serais même allé, si nécessaire, jusqu'à prendre les grands moyens. Et puis, songez-y un instant: si vous étiez un vampire, est-ce que vous iriez le crier sur les toits? N'essaieriez-vous pas plutôt de le cacher de toutes vos forces? Surtout si vous étiez un vampire timide? Car c'était bien au Club des Vampires timides que j'avais été invité ce soir-là. Est-il nécessaire d'ajouter ici que les gens — en se représentant les vampires vêtus de longues capes noires, armés de canines pointues et se métamorphosant en chauves-souris dès que découverts — se leurrent? Les vampires ont, eux aussi, comme nous, gens normaux, perdu la plupart de leurs pouvoirs en s'adaptant aux conditions de vie actuelle...

Pauvre Lucie! Je la revois, le jour où je découvris, tout à fait par hasard, l'horrible vérité. Car elle m'aimait, oui, elle m'aimait tant. Remarquez que ce jour aurait pu ne jamais venir et que nous pourrions aujourd'hui encore filer le même grand amour...
— Grand amour?
— Eh! oui, je peux bien le dire, les trois semaines que durèrent nos fiançailles furent les plus belles de ma vie. Lucie avait eu raison de dire devant tous, ce soir-là, qu'elle savait pouvoir me rendre heureux. Me rendit-elle trop heureux? Je fus pendant trois semaines, jour après jour, seconde après seconde, un des hommes les plus comblés que cette terre ait vus. Quelle femme extraordinaire, délicate, sensible, sachant deviner le moindre de mes

désirs et, plus et mieux que jamais personne n'a su le faire depuis, m'écouter! N'avez-vous jamais eu la sensation d'être avec quelqu'un qui vous connaît mieux que vous-même ne le pourrez jamais? C'était celle que j'avais avec elle, moi qui avais toujours cru mon cynisme un trait de ma nature alors que, en fait, c'était le désespoir où j'étais de ne plus croire qu'une personne telle qu'elle — simple, douce, bonne et tendre — pût exister qui m'y avait poussé. C'était comme si j'avais eu devant moi, une seconde avant moi, un guide, ô combien précieux, sur le chemin de la vie. N'étais-je pas très avancé, depuis qu'elle était venue s'installer dans mon appartement — dont elle avait, en un tour de main, fait une «maison» — dans la rédaction du livre dont, depuis plusieurs mois déjà, l'idée me poursuivait et que les études, les soins domestiques mais surtout la peur de ne l'écrire que pour moi-même m'avaient empêché de commencer. Et puis, non seulement savait-elle faire le ménage, le lavage, le repassage, la cuisine, mais encore était-elle, dans les plaisirs de l'amour, une experte. Une experte... que dis-je, une déesse, oui, une déesse.

Comme elle m'avait vite fait comprendre que cet idéal de femme que j'avais toujours cultivé n'était, en fait, qu'une illusion, une projection mensongère de mon imagination. Son amour n'en avait fait qu'une bouchée. Je me prenais parfois à tenter d'imaginer ma vie d'avant elle. Rien. Je ne voyais rien. Qu'un trou noir. Le vide. Le néant. Pauvre, pauvre Lucie! Pauvre moi!

Nous allions nous marier dans une semaine. C'était elle qui s'était chargée de tout organiser.

Ce jour-là, Lucie était allée chez sa mère. Elle voulait lui demander de venir habiter avec nous. Elle m'en avait bien sûr parlé auparavant. L'amour ne pose pas de questions. C'est là le moindre de ses défauts. J'avais accepté. Tout, dans ma vie, n'était-il pas métamorphosé depuis son arrivée. Si elle croyait que la présence de sa mère pouvait être bonne, c'était qu'elle devait l'être.

J'étais donc seul et j'avais décidé, pour lui faire une surprise, de préparer le souper. Or, j'avais décidé de faire, n'en ayant pas mangé depuis longtemps, une soupe à l'ail. Il n'y avait pas l'ombre d'une gousse d'ail dans la maison. Comme je vais toujours jusqu'au bout de ce que j'ai décidé, je m'habillai et allai jusqu'à l'épicerie du coin pour en acheter. C'était là que m'attendait la vérité.

J'attendais au comptoir pour payer quand soudain j'entendis deux femmes rire et l'une des deux qui disait à l'autre: «Oui, elle lui a finalement mis le grappin dessus. Ce sont ses propres mots. Chère Lucie, elle, si timide, qui aurait cru ça d'elle? Il en est si gaga qu'elle a même réussi à le convaincre de faire venir habiter sa mère avec eux...»

Et l'autre femme de rire, d'un petit rire qui me frappa en plein coeur. Je me retournai.

C'était la tante de Lucie, rencontrée une fois chez sa mère, qui venait de dire ces mots. C'était donc bien de moi qu'on avait parlé. Avant qu'elle ait eu le temps de me voir, je m'étais enfui du magasin.

— Il y a une chose que je ne comprends pas... Qu'était au juste ce Club des Vampires timides dont vous parliez tantôt?

— C'est moi qui, dans ma haine, lui ai donné ce nom. En fait, c'était une agence matrimoniale.

— Ah!

— Mais je ne vous ai pas dit le pire...

— Quoi?

Je n'ai pas eu le temps de finir mes explications. Accompagnée de sa mère, ma femme revenait du centre commercial. Et tandis que s'évaporait, doucement, dans une longue volute blonde et bleue, ma chère vieille amie, la seule femme à qui je puis encore tout dire librement, ma dernière, la dernière de toutes mes illusions:

«Tu as bien travaillé aujourd'hui, mon chéri...?»

J'aurais tant aimé lui dire, pour l'en avertir, que le pire des vampires est celui qui vous vole vos illusions.

Une mort si douce

QU'EST-CE qui s'est passé, cet après-midi-là? Qu'est-ce qui s'est passé, cet après-midi-là, à cinq heures de l'après-midi, ce jour-là, que les aiguilles de la montre se soient comme toutes deux arrêtées en même temps, à ce moment-là, que depuis toujours, à chaque fois que je rejoins ce coin lointain de ma mémoire, de moi, je bloque brusquement? Toujours la même voix me répète: cinq heures, cinq heures, cinq heures, me jette dans le coeur le goût noir d'autrefois, un goût frôlant l'effroi. Échec. Chaque fois que j'essaie de me souvenir, ou chaque fois que tombe le crépuscule, un vide dans ce que je suis même s'ouvre tout d'un coup. Puis un mur surgit, un mur aux pierres peintes de signes bizarres, à demi-effacés par les pluies déjà. Je m'acharne à lire les chiffres. En vain. J'oublie. Je tombe dans la nuit. Je ne suis plus là. Il suffirait d'ôter une pierre de plus, une seule pierre du mur, j'aurais la réponse. Je tombe, je m'enfonce. Je ne peux pas. Il est trop difficile de rester sans défense.

Cinq heures, cinq heures...

Qu'est-ce qu'on m'a dit, ce jour-là, qu'est-ce qu'on a cassé en moi, l'après-midi de ce jour d'automne, que depuis, mais inutilement, je cherche à retrouver? Qui me rend la chanson facile ainsi? Qui a planté sa griffe en moi que depuis, peureux à corneilles, je suis vidé de mon son à mesure? De quelle vieille jouant aiguilles à tricoter suis-je l'éternel fiancé de laine?

«Las! La reine et le roi sont morts
Pleurez, mes chèvres et mes agneaux!»

Des bouts de souvenir... comme des nuages. Ou les débris d'une fête?

Quelqu'un est mort. Il y a branle-bas dans la maison. C'est ma grand-mère? Des cierges brûlent, il me semble (je suis tout petit, poussière d'étoiles encore). Une face se penche sur moi.

«Tu n'es que cendres et poussière», me dira un jour une voix. Un ange noir est entré. Un ange noir s'est assis sur une chaise dans la cuisine.

«Un ange noir m'a parlé...
— Chut! Tais-toi!»

Quel âge avais-je quand ma grand-mère est morte? Je demanderai à ma mère. Quoi qu'il en soit, je sais maintenant — je le sais, je le sens — que ce jour-là, à cinq heures de l'après-midi, dans la cuisine de la maison de mon grand-père, j'eus mon premier contact avec la mort. Ce contact presque corps à corps, bouche à bouche — me força-t-on d'embrasser la morte, comme cela se faisait encore en ce temps-là? — de l'enfant avec la mort. L'enfant apprend d'un seul coup (peu importe l'oiseau qui chante, ou sa couleur) qu'il ne sera plus éternel. Qui m'a dit quoi? Qui m'a soufflé à l'oreille un éternel impossible? C'est une voix qui m'a poursuivi jusqu'ici.

«Si tu le veux petit, tu peux être éternel...»

Une voix me soufflant à l'oreille un orgueil incroyable.
Il faudra que je demande à ma mère quel âge j'avais quand ma grand-mère est morte.
«Elle est morte en octobre quarante-huit...»

Il a fallu que ce soit un des premiers anges de mon enfance, ma tante Françoise, qui m'apprenne l'année de la mort de ma grand-mère. Ma mère ne s'en souvenait pas. À l'Ange-de-l'ordre-dans-la-maison, ma tante Françoise, que je verrai toujours dans une certaine lumière jaune et bleue, je n'en ai pas demandé plus. Je me suis sauvé, comme un voleur, avec le bout d'information qu'elle venait de me donner.

Octobre quarante-huit...

Je ne m'étais pas trompé. C'est en automne, en octobre, dans la maison de mon grand-père, que j'ai eu, tout petit, mon premier contact avec la mort.

Bien d'autres détails me sont revenus.

Je me tiens près d'une fenêtre. Dehors, par la vitre où la pluie ruisselle, le ciel est jaune-gris. Je ne vois personne mais je sais qu'un ange est passé. Je me retourne. La chaise où l'ange noir s'est assis tantôt — qu'est-ce qu'il m'a dit? — est vide. Et puis, plus rien. Tout se perd. La lumière sombre (si l'on pouvait, avec sa mémoire, remonter jusqu'avant le temps, où se rendrait-on! Mais la mémoire n'est qu'un mur aux pierres peintes de signes bizarres, à demi-effacés par les pluies déjà).

Je me retourne.

«Petit, si tu acceptes de respecter les morts, tu auras leur magie...»

Octobre quarante-huit.

Le chemin qu'il m'aura fallu descendre, sans lien, sans rien que ma folie, me heurtant sans cesse à des pierres, avant de retrouver ce fil dans ma mémoire, ce fil d'or si petit qu'il passait inaperçu, il y a trois jours encore! J'aurai couru à rebours de ma vie des jours et des jours dans des corridors sans bout. Dans la maison de la mémoire — maison vaste comme le monde, puis maison vaste comme l'âme —, en quête d'un peu de lumière, je me serai longtemps promené seul. Un seul détail — la date de la mort de ma grand-mère — et voilà tout remis en question.

Quelque part, une porte s'ouvre.

Une vieille vivait en moi. Une morte veillait en moi. Une vieille qui m'avait donné, en échange de l'hommage que je rendrais un jour à sa mémoire, sa magie.

C'est ainsi que se transmettent les traditions.

Ma grand-mère était bonne et simple. Mais bonne surtout. Elle passait pour une sainte. Sa porte était toujours ouverte. Quand elle est morte, tout le village est venu la pleurer. Elle avait été malade durant des années. La maison du grand-père — qui était maire, et presque maître, du village de X... — craquait sous des tonnes de fleurs. Étais-je dans le cortège qui la mena vers le dernier silence? Ma grand-mère était une sainte, m'a-t-on dit.

«Petit enfant, je te donne la magie de la terre. Tu fleuriras de toi les neiges et les sables, et même le silence. Je te donne la magie des mots. À la seule condition que tu aimes les morts. Que tu les aimes et les respectes...»

Un vent de terreur emplit la maison quand l'ange noir passa. J'avais trois ans. Un fruit noir éclata, un fruit beau et luisant, qui cachait le soleil. Un poing s'ouvrit, dont je tombai. Le poing de qui? J'étions poussière d'étoiles soudain, un peu de pollen de couleurs déposé quelque part, au hasard, sur la vaste face du monde. J'étions trois fois rien. D'un seul coup j'ai pris la mort et la vie. J'ai tout pris. Soleil et racines. Et comme elle l'avait dit, ma grand-mère, j'ai fleuri.

Tout aurait été pour le mieux si, après une mort, ça s'était arrêté. Mais il y a eu une autre mort. Et puis une autre mort encore. Et chaque fois, la même voix:

«Si tu le veux, petit, tu peux être éternel. Il s'agit pour cela d'arrêter le soleil dans sa course...»

Je ne demandais — je me souviens si bien — qu'à vivre simple et doux. Je puis dire pourtant, aujourd'hui encore, que mon seul malheur, et tout mon malheur, ne m'est jamais venu que de ne pouvoir crier haut ma joie, à mesure qu'elle se forgeait, se forge (ô ces oiseaux parfois prisonniers dans la gorge!).

Il y a eu tous ces morts. Et les pires de tous, les ni chauds ni froids, les morts vivants dont, sans le savoir, j'étais déjà, pour avoir écouté l'ange noir la première fois, pour ne pas avoir ri, ou crié, ou pleuré quand la mort est passé ce jour d'octobre.

L'ange noir qui passa, cet après-midi-là, dans la maison du grand-père, à cinq heures de l'après-midi, ce jour-là, c'était peut-être bien le diable.

«Un ange noir m'a parlé...»

Les enfants, on ne les croit pas. On devrait, parfois. (Je parle d'enfance, mais surtout d'autre chose.)
Était-ce de l'orgueil ou de la fierté que de commencer à me défendre de tout ce qui était la mort pour moi?
Un seul détail retrouvé. Voilà tout mis en question.

D'un seul coup, j'ai compris, comme si un soleil reprenait sa course en moi, pourquoi, longtemps, j'ai eu vis-à-vis de la mort l'indifférence la plus grande, pourquoi, de même, j'ai toujours eu peur, une peur bête, animale, des femmes. Pourquoi, à défaut d'être un homme (longtemps, et même encore parfois, dans les beaux garçons je me suis regardé, comme en un miroir on regarde quelque chose d'enfoui en soi), je me suis pris pour un ange. Un ange tantôt noir, tantôt d'or. Et même pourquoi j'écris. J'ai toujours porté, comme un mal secret, comme une faiblesse, mais peut-être aussi comme la promesse d'une paix inouïe, la peur de la mort en moi. J'ai toujours — du rire de l'imbécile heureux qui ne comprend pas — ri devant la mort, ri où les autres se taisaient.

Il n'en fallait pas plus — que ce refus de chercher à comprendre la mort — pour que, du coup, s'invente le petit héros qui écrit ici aujourd'hui. Héros seul comme tout héros. Qui écrit comme on se bat, qui poursuit sa guerre contre les ombres. Héros d'une guerre inutile?

Comment aurais-je pu accepter la mort, quand déjà, tout petit (il y avait trois ans que la guerre était finie), je la sentais écrite partout, dans l'air même que je respirais, dans les yeux des hommes — il y avait ceux qui s'étaient cachés, et ceux qui étaient revenus —, dans les corps tout de noir vêtus des femmes, dans les mains des prêtres?

On avait cassé la chanson de l'homme.

Comment aurais-je pu aimer les femmes puisque la mort, refusée tout d'un bloc, telle qu'elle m'était apparue dans le corps de ma grand-mère couchée, était une femme?

Si la mort était une femme, la femme était une mort aussi bien.

Il y aurait tous ces morts-vivants.

Il ne me restait qu'à fuir, et j'ai fui. Je ne voulais avant tout pas perdre ma certitude d'enfant — qui ne s'écrit pas — que j'étais éternel. Je me suis pris pour un ange, volant au gré des vents et de sa fantaisie. J'étais noir quand tout allait mal. J'étais d'or quand tout allait bien.

«Petit enfant, je te donne la magie des mots... La magie des mots et du vent...»

Je n'ai jamais écrit que pour exorciser la mort, que pour régler son compte à un peureux à corneilles.

On peut écrire aussi pour faire la lumière, pour se rencontrer, se coïncider une fois.

«Las! La reine et le roi sont morts
Pleurez, mes chèvres et mes agneaux!»

Ma grand-mère était simple et bonne.
Mon grand-père était un géant.
(Comme je me souviens de cette peinture de leur mariage, aperçue une fois, lorsque j'étais monté au grenier de la vieille maison avec l'Ange-de-l'ordre-dans-la-maison, ma tante Françoise, fouiller dans de vieilles malles pleines de chiffes parfumées, où on les voyait, lui assis, elle debout, une main posée sur l'épaule de son mari...)

«Enfant, je te donne mon feu et mon sang...»

Mon grand-père était un homme qui, à partir de rien, par sa seule volonté de travail et l'amour de sa femme, bâtit un royaume.

D'une terre qui ne donnait que des pierres, il fit un grand jardin. Et puis, avec la guerre, parce qu'il avait su la prévoir et amasser des stocks de marchandises sèches (les prix quintuplèrent en un rien de temps, m'a-t-on dit), ce furent la conserverie et le magasin général.

Bien sûr, dans ce petit royaume (né, pour une grande part, de la mort des autres), tout n'était pas parfait. Mais quelle joie ce m'était d'entrer dans cette maison où la lumière entrait mesurée, où tout avait sa place, son souffle, sa magie (mon endroit préféré, c'était le petit boudoir bleu où, assis sur un pouf, je regardais les encyclopédies de la bibliothèque...). À cause du fleuve qui passait devant la maison, on se serait parfois cru dans un bateau, un bateau descendant doucement le temps, au fil des heures.

«Petit, je te donne une mémoire solide comme ma maison...»

Mes grands-parents étaient d'une race aux racines fortes. Comme ils durent s'aimer pour en arriver, à partir de rien, à bâtir leur royaume.

Ce royaume, leurs enfants, soit qu'ils fussent trop tôt tombés dans l'illusion facile mais terrible que l'argent est tout, soit qu'ils aient reçu l'éducation raffinée, mais inutile, de l'époque, ne purent pas, une fois la reine et le roi en allés, le maintenir.

Je n'aurai peut-être été, moi, de toute ma vie, que le fou d'un très vieux roi mort. Mais au moins je me serai souvenu. J'aurai dit ce que je savais: que le pays de l'homme est avant tout dans sa chanson; et que si la chanson est toujours la même, elle n'est jamais pareille pourtant.

Je n'ai jamais écrit que pour exorciser la mort. On peut écrire pour faire la lumière.

«Petit enfant, nous ne transmettons la magie de vivre...»

Le soleil a-t-il changé depuis le jour où, pour la première fois, j'ouvrais l'oeil sur lui? Et le bleu du ciel? Et la lune, et les étoiles? Et le miracle de la voix dans l'homme, et le mystère du silence? Et l'énigme à tout homme posée de la mort?

Cinq heures. Cinq heures. Cinq heures.

J'ai essuyé depuis toujours le même échec. Il y a des échecs essentiels.

J'ai toujours eu vis-à-vis de la mort l'indifférence la plus grande. C'est parce que c'était de la mienne — mort du petit héros qui dit non à la mort, au lieu de dire tout simplement oui à la vie — qu'il s'agissait. Non de celle des autres, à laquelle nul ne comprendra jamais rien. Je me défendais avec l'orgueil, ma seule arme d'alors.

Il me semble soudain que ce peut être une mort si douce que celle de l'enfant qui, renonçant à ses comédies, désormais inutiles, accepte d'entrer dans le temps, au plein coeur du mystère, une fois pour toutes, de plain-pied, de plein gré.

Une porte s'ouvre... Un grand soleil rouge envahit tous les ciels de la mémoire. J'entre dans le temps. J'entre dans le grand temps, reprenant à mon compte (aux nombres retrouvés des pierres du mur d'impossible) et la mort, et la vie, et la mémoire neuve des deux, reprenant racines et chemin.

On m'avait cassé ma chanson.

Ma chanson pourrait tenir dans un nom, dans le nom répété de l'ange que je n'ai pas encore trouvé.

On m'avait cassé.

J'ai ouvert tous les livres mais je n'ai jamais découvert la réponse que je cherchais. Ce que je cherchais — et que je trouve à mon tour au seul grand instant de ma vie — n'est écrit, ne l'a jamais été, ni ne le sera jamais dans aucun livre. Le temps que nous sommes, que je suis, ne s'écrit pas. Il ne laisse que des marques, fleurs de terre, de vent, de feu et de sang séchées à mesure en fleurs d'encre.

J'ai longtemps posé des questions auxquelles nul ne pouvait répondre.

Un jour, quelqu'un m'a dit: «Qu'est-ce qu'une question?» Et je me suis dit que, chaque chose étant unique, il ne pouvait y avoir qu'une question et que c'était peut-être bien celle-là qu'on venait de me poser.

La mort, telle qu'elle m'apparut la première fois, était une femme.

Longtemps, la femme fut — ou plutôt représenta — une mort pour moi. Que pouvais-je voir d'autre en elle, en elles, puisqu'au départ, en toutes et en chacune, je projetais la femme morte en moi? La femme morte en moi... Qu'est-ce à dire? C'est-à-dire tout ce qu'il y avait de sensible, de délicat, de tendre en moi, qui était bien à moi, mais cassé, refusé, refoulé. Étant tout à ma guerre, j'en avais oublié la cause. N'ayant pas le temps de m'occuper de la femme en moi — là tenait toute la comédie —, je me disais que j'en avais encore moins à donner aux femmes hors de moi. J'étais bien trop occupé à préparer mon théâtre pour la prochaine représentation. Représentation dont je serais le seul acteur et le spectateur unique. On y rejouerait la mort de la reine. Tout s'achèverait, bien sûr, par un nouvel échec. Tout à mon jeu d'être éternel, ou plutôt immortel, je n'avais de temps pour nul autre que pour moi. N'étais-je pas deux, et même plus que deux, quand le diable s'en mêlait? Grand-mère morte, enfant, fou du roi...

Longtemps, je me suis pris pour un ange. Un ange noir et d'or.

J'étais si beau là-haut, quand je volais là-haut, vous ne me croiriez pas. Je fus si bas parfois...

J'étais un ange noir et d'or. Au gré des vents bons ou mauvais, ou bien l'un prenait le dessus sur l'autre — et c'était le règne de la paix sur la terre, et j'étais l'oiseau l'annonçant —, ou bien l'inverse se produisait — et c'était de nouveau la guerre.

Je ne perdais ni ne gagnais jamais. Je croyais pourtant perdre ou gagner. Mais c'était parce que j'étais hors de toute réalité.

Longtemps, parce que dans la cuisine de la maison de mon grand-père j'avais écouté le diable, je me suis cru, m'emplissant du plus ordinaire des orgueils, plus sensible que tout le monde.

Une porte s'est ouverte. Un grand soleil rouge a tout envahi.

Je ne demandais qu'à vivre simple et doux. Contre la mort qui me cernait, mort écrite partout, dans les yeux des hommes, dans les corps tout de noir vêtus des femmes, dans les mains des prêtres, contre le faux silence, je me serai défendu comme je le pouvais, apprenant tout simplement à vivre.

«La reine et le roi s'en reviennent
Dansez, mes chèvres et mes agneaux!»

Il m'aura fallu bien du temps pour tuer le vieux couple — l'image du vieux couple — de mes grands-parents que j'étais devenu, faute d'avoir de vrais parents, que j'avais pourtant. J'étais double. Quel enfant ne l'est pas, ne porte pas double nature?

C'est la source de tout doute, et de toute guerre, que sa double nature soit, au départ, étouffée chez l'enfant. En tout cas, moi — c'est le petit héros qui parle — je n'en aurai rien refusé. J'aurai été un ange à défaut d'être sexué, parce qu'il ne m'était pas possible de vivre jusqu'au bout, dans la réalité, ma double identité (il y en aurait long à dire). Pire, la réalité se sera faite complice de cette division de l'âme en moi puisque, pour presque toute mon enfance et mon adolescence, je n'ai toujours vécu, ou bien qu'avec des femmes, ou bien qu'avec des hommes. Chez les religieuses ou les prêtres, dans la marine ou avec ma mère et mes soeurs...

J'arriverai cependant — s'il m'est jamais donné de vivre cette grande magie — tel que je suis devant la femme.

Comme un ange rencontre un ange, pour la guerre ou la paix...

Peut-être aurais-je dû remonter, dans le but de retrouver ma double identité heureuse et non pas déchirée, jusqu'à mes grands-parents simplement parce que, au moment où je découvrais le couple en moi, mes parents n'en formaient déjà plus un, mais la rupture même d'un couple, à laquelle je me suis malgré moi identifié. C'est à ma mère que j'aurais dû attribuer la magie de la terre et du vent (la magie des mots) dont je suis, et à mon père, la magie du feu et du sang dont je suis issu. Mais il m'aurait fallu faire la critique de toute une génération pour arriver à mon but qui n'était que de découvrir que la mort de l'enfant peut être une mort douce, une mort si douce.

Il m'aurait sans doute fallu dire de mes parents — qui tombèrent si vite, pris aux mirages du Krack, de la Crise et de la guerre, dans l'illusion que l'argent, et non le travail, est tout — qu'ils restèrent des enfants. Peut-être peut-on accuser les grands-parents d'avoir été trop forts. C'est une absurdité. On ne peut accuser les morts ni les choses d'avoir été ce qu'ils furent. On ne peut que continuer.

J'entre dans le temps.
J'entre dans le grand temps.
Je reprends le chemin.
C'est à mon tour à moi de donner ma chanson, le plus fidèlement possible. C'est à mon tour à moi de bâtir un royaume.

Peut-être ne ferai-je pas mieux que bien d'autres.
Peut-être aussi qu'un jour, pour avoir l'enfant que je fus, je trouverai mon ange.

Des tournesols sur le toit

NOUS devions emménager ensemble à la campagne. Nous avions déjà trouvé une maison à louer. Loin de la route, sous les arbres, toute blanche, des volets rouges. «La» maison. Depuis le temps que j'en parlais. Depuis le temps qu'elle en rêvait. Nous avions réussi, presque par un tour de force, étant gaspilleurs tous les deux, à mettre juste assez d'argent de côté. Hier. Hier...

La vie, on est dedans. Tant, qu'on ne la voit plus, qu'on ne se voit plus vivre. Qu'on vive peu ou trop. Trop ou pas assez vite. On a comme fondu. On a comme perdu la distance. On est comme devenu la vie elle-même. On aimerait croire qu'on n'en est encore qu'un témoin. Comme avant, quand on vivait à côté de la vie. Quand on croyait encore pouvoir choisir ce qu'on est. Quand on pouvait jouer. À l'être venu d'une autre planète, tombé sur la terre «par erreur», qui observe tout d'un oeil froid, avec un certain mépris. Ou à l'enfant naïf qui ferme les yeux à la première peur, croyant que le monde va s'éteindre au bord de ses paupières. Ce n'est plus possible. Ce n'est pas assez. Il est comme trop tard. On a traversé la ligne. On est comme passé de l'autre côté. Et on a pris un poids. De passé, de peurs, de prétentions. De pensées? Le poids d'au moins une chose. D'au moins une personne. Car on ne peut même plus être seul. Par ce qu'ils nous ont donné, les autres vivent en nous. Qu'on le veuille ou non. Qu'on l'accepte ou non. Il y a les marques qu'ils ont laissées. La mémoire, on peut la bombarder, l'user, l'ouvrir un peu plus, pas la changer. On est embarqué. On est pris. Entre ce qu'on touche et ce qui touche, il n'y a plus de différence. C'est la même chose. La même chose ou presque. Comme un seul vaste pli dont les choses, et même les êtres, ne seraient que des accidents. Oh! on peut bien essayer de briser d'un coup, d'un cri, l'envoûtement, de casser, d'une secousse violente, le fil... On sait qu'on ne fera que se mettre en retard. Un peu plus. Rien de plus. On n'est plus maître de ses métamorphoses. On est devenu tout ce qu'on a pensé, tout ce qu'on a dit, tout ce qu'on a fait. On est un peu devenu les autres. Les autres... L'autre surtout. L'être qu'on aime. Qu'on n'a même pas choisi d'aimer. Qui nous a été donné. Qu'on aime encore et, parfois, malgré tout. L'autre contre qui, de temps en temps, on se révolte. Même si l'on sait que se révolter, c'est risquer, à jouer avec le feu, de tout brûler. À moins d'avoir quelque chose de neuf, d'absolument neuf à donner et d'être assez sûr de soi, ou assez fou, pour l'imposer, celui qui fait l'ordre en soi donnant un ordre au monde. Quoique, la plupart du temps, ce ne soit qu'un jeu. Quoiqu'on ne sache jamais d'avance ce qu'on va donner. Et même si l'on sait qu'en amour il n'y a pas de «progrès», ni de «volonté», ni de science qui tienne. L'amour où tout est magie, retour perpétuel. L'amour qui ne s'écrit jamais tout d'un souffle, mais par petites touches, par coïncidences, par recoupements. Par échecs parfois. Car ce n'est plus le fol amour des premiers jours. Les délicieuses frayeurs, les doux tourments où le coeur s'imaginait, à un coin de rue, sous la pluie, petit cheval sauvage. Pauvre petit cheval rouge un jour cristallisé dans sa course. Ce jour-là. Le jour du premier de tous les rendez-vous manqués, le jour du premier de tous les mensonges. Ce n'est pas non plus, ce n'est plus l'amour qui cherche à changer le monde. Le monde, c'est-à-dire ce qu'on a jusqu'alors connu. Maman, papa, les études, un ou deux grands voyages, les petites amours... Trois fois rien, en somme. On a pourtant eu le temps de perdre bien des illusions. Les illusions comme des fioles, flacons gardant emprisonnés, jusqu'au moment du besoin précis, parfums de fleurs ou de fruits, ou poisons... Comme des ampoules. Bien des illusions se sont cassées. Une à une, jour après jour, amour après amour, mort après mort. Jusqu'au début du retour à la simplicité qu'on avait cru perdue. Jusqu'au retour à la patience, la si difficile patience. Jusqu'au retour à l'humilité? On a compris qu'au moins la moitié de la magie de l'enfance tenait au fait de dépendre des autres, de quelques autres. On a compris que rien n'est acquis, qu'il faut, pour une bonne construction du réel, tout recommencer à zéro. On refuse longtemps. On s'obstine. On s'acharne. On s'accroche. On remet à plus tard. Il vient un moment où on accepte. Même si la soudaine pauvreté qui suit — on se croyait riche de soi alors qu'on l'était des autres — fait mal. Accepter... Au début, les choses faciles. Comme se sentir peler une orange avec «ses» mains. La rompre en quartiers avec «ses» doigts. La goûter avec «sa» bouche. Tous deux, elle et moi, mal réveillés, dans la cuisine, à sept heures du matin. Chez elle? Chez moi? Chez nous. Un matin comme les autres. Un jour comme les autres. Comme ceux de bien d'autres. Déjà plus difficile à reconnaître. Ce qui nous rend semblables à des gens qu'on ne connaît pas, qu'on ne verra jamais. Ce qui nous rend humains et nous tue en même temps, au même instant.

Ses mains caressant l'orange de la cuiller, violant l'écorce d'un petit geste doux et précis. Ses mains devenues l'orange. L'orange devenue elle. L'oeil devenu ses mains...

«Regarde...»

Je prenais un morceau d'écorce (le plus gros que je pouvais trouver), je le pliais au-dessus de la flamme d'une allumette. Violette et bleue, la flamme montait d'un souffle bref, en crépitant. Une langue de feu...

«Qu'est-ce qui fait ça?
— Je ne sais pas...»

La vie... La vie, on est dedans. Pas à côté. D'une manière ou d'une autre. À chaque seconde. Mais on ne sait jamais.

Hier. Mars, avril au plus tard, nous devions être rendus, sinon installés, là-bas. Hier...

Accepter. Ce qui est aujourd'hui. Cette chambre. Ce lit. Accepter... Mot terrible. Accepter quoi? Jusqu'où? Quel mal? Accepter par amour? Ou accepter comme aimer? Ou parce qu'il n'y a pas moyen de faire autrement?

Son corps lové au creux du mien, de côté, elle s'endormait en fermant «mes» yeux. Ses cheveux à la hauteur de ma bouche. Ses cheveux aux parfums sombres comme une source enfouie sous les ombres, à laquelle j'aurais voulu me saoûler éternellement. Comme d'elle. Abandonnée. Animale et divine. Après le galop fou de nous jusqu'aux étoiles. Nous brisé, dénoué, délirant, dérivant dans la nuit, une nuit claire incroyablement. Une nuit percée d'astres. Elle, pâle, laiteuse, saline, lumineuse. Moi...

«Marie...
— Oui...
— Tu dors?
— Oui...»

Peu à peu, on a perdu l'habitude de «mon», «ma», «mes». C'étaient des mots d'enfant qui cherche encore, petit roi, à régner. Petit roi despote, possessif et peureux — même chose — qui ne sait pas qu'il cherche seulement à prendre le contrôle de lui-même, de son corps. Mots de l'enfant qu'on aurait pu avoir, qu'on n'a pas eu, qu'on est encore. Qu'on n'a pas eu parce qu'elle avait peur. Parce qu'elle voulait «vivre» d'abord, encore. L'enfance qu'elle n'avait pas eue. Où, moi, j'en avais trop eue. Une enfance trop belle et trop laide. Trop forte. Sa fantaisie, ses caprices... Sa folie. Sa liberté? Sa soif, sa faim... Sa curiosité... Contreparties de «mon» ambition, de «mes» prétentions... Parce qu'elle avait peur... Pas seulement elle.

«Nous mettrons le temps de notre côté... De force, s'il le faut.»

Moi parti à la conquête du jour, presque en guerre avec lui. Jeune homme plein d'idées, de projets, débordant de beaux mots, de belles images. Prometteur, ambitieux, agressif... ignorant... Ignorant que «nous» étions le temps. Tels que nous étions.

Hier... Hier, il y a un mois et demi...

Un accident bête et brusque de l'organisme. Comme un accident d'automobile. Un accident de la machine. Du corps devenu machine. Tous les liens brouillés soudain, en zigzags, entre nous. Comme si l'on m'avait arraché la moitié d'un soleil du ventre. La moitié seulement. Hier... Où est-elle maintenant? Avec qui? Elle pense à moi parfois. Elle vient me voir, me visiter. M'apporte mon courrier, un roman ou deux, des fruits, me parle, me sourit. Mais ce n'est pas comme avant. Il aura été court, le temps parfait de l'amour. Le premier temps. Parfait parce que encore plein d'illusions tues. D'illusions l'un sur l'autre. L'autre qui n'est personne. Que l'espace où, pour fuir, ivre d'un corps nouveau, transparent, volait l'imagination. Je me disais, moi, le jaloux de nature: «Je suis toujours avec elle. Où trouverait-elle le temps de me tromper?» J'étouffais mes soupçons. J'arrivais à oublier qu'elle pouvait m'être infidèle en pensée, qu'elle pouvais encore avoir besoin de se défendre ainsi de moi. Moi, de la lourdeur de ceux pour qui le réel est à réinventer à chaque seconde, pour qui une idée ou un sentiment sont, jusqu'à un certain point, inutiles s'ils ne prennent pas forme. Une forme ou une autre. Une évidence. Elle, la si légère. Trop légère, trop aérienne, trop libre pour me suivre jusqu'au bout dans ma quête d'un réel impossible (parce que en même temps mobile et immuable). Impossible?

«Il n'y a pas d'autre drame dans la vie d'un être que celui de l'instant, se répétant sans fin, de sa première perte de pureté...»

Ce que je lui disais, laissant entendre par là que jamais je n'accepterais de me salir. Même pour survivre...

«Comment ça va ce matin, Monsieur X...»

X... et comme le X d'une fiole d'iode.

Des pas d'ouate dure dans le corridor. Le soleil pâle à travers le givre des vitres. Comme des fougères de sel.

Mars. Le 15 mars, déjà. Les yeux tournés vers la porte. Elle est entrée dans la chambre, s'est approchée du lit. Douce, incolore, habituée. Tout ce que ces yeux bruns ont vu. Habituée... Un autre mot terrible. Un autre mot qui tue.

Tout ce que ses yeux ont vu. Jusqu'où ils ont traversé les apparences. Un vieil homme maigrissant lentement, jour après jour, d'un cancer... Jusqu'où ils ont déchiré les voiles de l'illusion jetés sur les choses pour les rendre acceptables. Ou seulement regardables. Tout est si fragile, si friable. On gratte un peu la surface et c'est la merveille ou l'enfer. L'enfer... Un enfant blessé à mort dans un accident stupide. Rien à faire. Rien à faire qu'attendre. Espérer. Regarder. Sourire, s'il le faut. Je n'aurais jamais eu ce courage ou cette inconscience. Je me serais enfui en courant. Moi, l'agressif, le pur, le supposé fort...

«Monsieur...».

Elle hésite. Elle tourne en rond. Elle a oublié mon nom. Se sent un peu embarrassée. Mademoiselle tout en blanc, Mademoiselle en courant d'air. Ça ne dure, bien sûr, pas plus d'une seconde. L'éclair d'une seconde. Pressée, toujours pressée. Il y a tant à faire. Il y a toujours quelqu'un qui a besoin. Ou quelqu'un qui se plaint. Comme le petit homme triste du lit voisin. Comme... Tout va toujours trop vite. C'est peut-être ce rythme qui l'empêche, qui la sauve de penser. Elle a oublié mon nom... Je ne suis pas le seul ici. Je souris. Monsieur X, Y ou Z, qu'importe, à vrai dire. Monsieur lit-qu'importe, chambre-qu'est-ce que ça change. Un nom, ici, dans cet hôpital, ça ne sert qu'à vous identifier. Qu'à identifier des corps étrangers dans un corps étrange. Plus très beau, trop sensible à la lumière. Même à la lumière du jour. Yeux cernés, nerfs à fleur de peau, coeur à fleur d'yeux. Je ne puis rien être pour cette femme qui a une vie à elle, hors de ces murs. Un amour ou des amours à elle. Un quotidien à elle. Des rêves, des projets, des espoirs. J'aimerais l'arrêter, l'interroger. Ou blaguer avec elle. Elle n'a pas le temps. Je comprends. Je sais que le mal que j'ai, ce n'est presque rien, que je vais guérir, mais... Mais parlez-moi de la vie, parlez-moi un peu d'amour.

«Levez la langue!»

Parlez-moi, je vous prie, Mademoiselle ou Madame — je ne sais même pas cela —, ne serait-ce que du temps qu'il fait dehors, même s'il fait froid et humide, même si l'hiver traîne en longueur, même si je suis laid. Mon âme est si petite, si ramassée en boule dans un coin, ce matin. Si petite qu'elle tiendrait au creux d'un poing. Pas plus grosse qu'un pois, un point. Une bille. Racontez-moi une belle histoire. Une de celles qu'on raconte aux enfants qui croient encore que s'endormir, c'est mourir. Même si c'est une histoire qui ment. Je ne vous poserai pas de questions. je ne douterai pas. C'est vous que j'écouterai, pas l'histoire.

Elle passe en coup de vent. Peut-être est-elle aimée. Peut-être ne l'a-t-elle jamais été. Peut-être ne sait-elle pas qu'il n'y a rien d'autre qu'aimer. Mais elle le sait, depuis qu'elle est ici, pour faire ce qu'elle fait. Sinon, comment... À moins qu'elle ne soit ici que pour l'argent, le salaire. Ça ou autre chose, moi! Quelle tristesse, alors! Mais non, ça ne se peut pas. Ce n'est pas possible. Elle n'aurait pas la force de rester. La force... La force ou la folie? Sonder les motifs d'un autre... Sans révéler les siens? Chercher une lueur, chasser une peur, la briser, à coups de peut-être. Peut-être ne s'est-elle jamais abandonnée jusqu'à en crier. Pas même une fois. Peut-être n'a-t-elle jamais été mordue. De la douce morsure. La folle. La sage. Même chose. Un extrême ou l'autre. Puisqu'il n'y a rien entre les deux. Rien que vivre aux dépens des autres. Les uns et les autres, les sages et les fous. Moyennant pour moyenner. Une tiédeur fade à faire lever le coeur. Comme ce soleil trop pâle d'aujourd'hui. À moins qu'il ne s'agisse d'un équilibre trop subtil pour être visible...? Peut-être est-elle de ces femmes dont les rêves sont tous devenus réalité, jusqu'au dernier. Rêves tombés morts en choses palpables. Utiles. Une mémoire efficace. Pratique. Le corps dressé. Instincts devenus technique. Qui regarde le rêve comme une fièvre et rien d'autre. Une excroissance maligne à couper. Un peu de fumée. Qui ne s'est jamais doutée que tout naît dans le rêve.

«Garde, quand est-ce que le docteur va venir me voir? Ça fait vingt fois que je demande après lui...»

Geint, se plaint, se répète sans fin le petit homme triste et gris du lit voisin... Qui a trouvé dans la maladie le prétexte idéal pour qu'on s'occupe enfin de lui, qui en joue la comédie. Comme un enfant capricieux, cabotin... Pas seulement lui... Chacun à sa façon... Plus ou moins habile...

«Levez la langue!»

À mon tour...

Qui sait, peut-être s'occupe-t-elle de moi et des autres ici parce qu'elle n'a personne dans sa vie. Comme ces femmes qui s'occupent des enfants des autres par peur d'en avoir. Ou des autres, par peur d'«un» autre, de «quelques» autres. Vierges idéalistes, toutes blanches, toutes exsangues d'un trop long sommeil des sens. Ridicules... admirables. C'est peut-être une de ces femmes qui naissent, vivent — passent — et meurent sans aimer une fois. Une seule fois. Rien qu'une. La fois qu'il suffit de vivre pour avoir à jamais la révélation des soleils et des lunes et des portes entrouvertes sur la nuit, au vent. Et celle, moins chantée, que la mort se cache en toute chose. Femmes qu'on a oubliées, puis qui se sont oubliées elles-mêmes. Pas de temps pour les folies! Femmes glissant sur l'énigme... aveugles aux brèches frangées de lumière d'un corps aimé. Haï autant qu'aimé. Une lumière neigeant légère comme des plumes d'oiseau rouges. Roses. L'oiseau sacrifié. À l'amour, à la vie. Sacrifié comme l'animal dans l'homme. Comme l'ange dans l'enfant. Comme le petit roi et la petite reine assassinés. Jamais au grand jamais tourmentées. À peine troublées. Une vie d'une haleine, d'un bloc, d'un bout à l'autre, à servir. Femmes trop amoureuses de la vie, trop fidèles à leur force pour aimer? Moi, en si peu de temps, tous ces regrets forgés dans le silence. Long, si long, si lent silence. La peur de la perdre. La peur de ne pas me rendre à notre maison. petit moi. Petite bulle. Enfant jouant au ballon avec des globes. L'âme crispée, debout sur un coin de la paupière, frileuse. Inquiète, curieuse, affamée, essouflée. Vais-je ouvrir les yeux ou les fermer? D'autres pas dans le corridor.

Elle. Son fantôme? Elle devenue moi, moi devenu elle. Elle, toutes les femmes. À elle seule. Elle devenue l'univers. Moi commençant à y entrer par elle. Commençant à me fondre dans l'énigme. La rupture. Brusque, abrupte. Tous les liens brouillés d'un seul coup, en zigzags, entre nous. En étoiles filantes. En flammèches. La mémoire fébrile. Transie. En feu et, en même temps, de glace. La mémoire folle de trop de fidélité. Fidèle... À qui? À quoi? À l'enfance de notre amour? À l'enfance tout court? À moi-même? La mémoire vue parfois comme une maladie. Comme la sensibilité. Comme trop penser. Comme un seul moyen de se défendre du monde, de s'en protéger. Et pourtant, une soif de nouvelles du dehors. Où est-elle? Avec qui? Que fait-elle? Comment est-elle habillée aujourd'hui? S'est-elle mis du bleu sur les yeux? Elle, mon seul «dehors». Elle dont tout ce que je dis, je le dis de mon âme. Elle dont je ne sais rien. Où? Avec qui (surtout)? Qui me cogne, qui me cloue ainsi le coeur? De ses silences, de ses absences, de tout ce qu'elle vit sans moi, qu'elle découvre sans moi, qu'elle devient sans moi, là-bas, dans la ville, juste à côté, si loin. Quelle partie morte de moi? Jaloux, oui, jaloux, jaloux, jaloux à en pleurer. Jaloux du monde entier. Un goût qui vient, monte, va, revient, me secoue parfois. Un trop-plein de la source retrouvée par la force des choses, de la nature retournée, tous griefs, toutes griffes, contre moi. Une source noire. Une marée nègre. Celle de ses cheveux? Celle de ses yeux, de leur lumière? Celle à laquelle, tout petit, poignée de poussière d'astres de peurs et d'espoirs, j'allais boire avec ferveur, en ignorant encore la beauté et le prix?

Accepter. Ce qui est. L'évidence. La patience. Cette chambre, ce lit.

Hier. Hier comme hiver. Le petit cheval sauvage du coeur, le petit cheval rouge courant affolé, l'oeil à l'envers, se jeter dans le feu, cristallisé. À la première peur, au premier doute, au premier mensonge. Devenu de verre puis s'effritant peu à peu. Au vent. Au moindre vent. Petit à petit. Le prix à payer? Fioles et flacons de la mémoire se cassant par milliers... Miroirs fondants... redevenant l'eau de la source. Toute la vie vue comme une longue chute d'une enfance à l'autre...

Au début, elle et moi, nous parlions d'enfance. Dans la cuisine, tous les deux, vers sept heures du matin — sept heures et quart —, pendant le café. Elle, parlant, moi, l'écoutant. Par la fenêtre, le mur de briques de la maison d'à côté. Sur ses genoux, Mélanie, notre petite chatte, ronronnant, les yeux fermés (une chatte de génie).

«Une de mes plus grandes joies, tu vas rire de moi, c'était d'aller, sur le chemin de l'école, faire pipi sous les galeries des maisons. Seulement parce que je savais que c'était interdit et que si mon père m'avait surprise...»

Je souriais. Un peu malgré moi. Un instant, pourtant, entre les mots, comme entre les lignes de craie d'un jeu de «carré», j'avais revu la petite fille aux yeux déjà sauvages, comme tout mangés par un feu intérieur, assoiffés de merveilles, mi-interrogateurs, mi à l'affût, sur la défensive.

«Encore un peu de café? Il en reste...»
La bonne odeur des croissants quand, venant de les sortir du four, elle cassait le papier d'argent!

Elle disait ne pas avoir eu d'enfance. Par la faute de ses parents? Non. Plutôt par le sentiment très tôt acquis, et haï, du «jeu à jouer» avec les adultes pour se faire aimer d'eux. Je songeais que c'était peut-être parce qu'elle n'avait jamais manqué de rien qu'elle était, n'ayant pas à s'inventer de réponses ou de rêves, comme nous avions eu à le faire, mes soeurs, mon frère et moi, passée à côté de la merveille. J'aurais aimé en savoir davantage. Elle s'était vite renfermée dans son mystère. Comme si elle me disait: «Si je te raconte tout maintenant, que me restera-t-il pour t'étonner plus tard?» Ce dont je lui savais gré, ayant toujours trouvé ennuyeux les gens qui ne vous laissent jamais le temps de les découvrir (même si j'ai toujours tendance à le faire moi-même).

Nous parlions beaucoup d'enfance. L'enfance... Où nous nous rencontrions, où nous échangions. Car il ne s'agissait pas seulement d'une enfance-histoire mais d'une autre, plus difficile à nommer, plus difficile à garder aussi, celle du coeur. L'enfance... Où se rencontrent tous ceux qui aiment?

À mon tour, un peu comme par pudeur, pour ne pas la laisser ainsi nue devant moi, je lui contais un rêve, un souvenir, une intuition, un projet. Je lui parlais surtout de la campagne. La campagne, mon obsession. Après celle, bien sûr, de l'enfance. La même?

«L'idéal, ce serait de trouver un endroit où il y ait en même temps de l'eau, des bois et de la terre cultivable...»

L'eau, c'était pour la pêche, les bois, pour les promenades et les cueillettes, la terre...

Cette obsession, bien des amis me l'avaient reprochée. Il est vrai que je ne cessais pas d'en parler.

«Le retour à la terre, tu sais! Comment feras-tu pour vivre? Tu n'es qu'un rêveur... un romantique... un réactionnaire!»

Je laissais dire. Je savais ce que j'avais en tête. Je ne cherchais pas à fuir. Ni la «civilisation», ni la ville. La ville, je n'y avais jamais été. Ou si j'y avais été, je n'y avais pas vécu. Ou peu, trop peu, trop mal. En tout cas, pas à ma manière.

«Nous aurons un jardin. Nous vivrons simplement. Du travail de nos mains. Au jour le jour...

— Moi, je veux des tournesols... Un champ de tournesols...»

Des beaux mots, de belles images. Seulement des beaux mots, des belles images?

La ville, à dix-sept ans, après les études (ratées), on m'y avait jeté, sans me demander mon avis, sans me laisser le choix. On... Qui? Disons qu'on ne m'y avait pas jeté, que j'y étais tombé, comme des milliers d'autres. Tombé, mal tombé, tombé de haut, de très haut. La ville... Partagé sans cesse entre le sentiment d'être un prisonnier et celui, dès que je songeais à me révolter ou à acquérir un peu d'indépendance ou d'espace, d'être un parasite. Parasite malgré moi. Comme «de trop». Parasite de qui? De personne en particulier. D'une structure, d'une organisation anonyme, trop grande, trop froide pour moi, dans laquelle je n'étais qu'un nombre silencieux. Un nombre... Même pas. La fraction d'un nombre plutôt. Une fraction incapable de s'adapter à sa condition de fraction, c'est-à-dire d'accepter les choses telles qu'elles étaient. Une fraction paranoïaque et souvent... avec raison. Sensible, trop sensible, donc vivant en elle... en moi. En moi, tout en moi, rien qu'en moi, seulement par, pour, parce que moi, moi, moi, moi. Vivant au crédit de ma mémoire, de mon passé. Me survivant. Mort-vivant. Parasite de celui que j'étais, il y a longtemps, de tous ceux que je fus tout à tour dans mes métamorphoses: oiseau, cheval, enfant-roi, petit garçon. Ne trouvant plus la merveille, par courts éclairs, par miracles, que dans les aventures amoureuses. Avec d'autres, avant elle. D'autres? N'importe qui ou presque. «N'importe quoi». Par accident, par hasard, quelquefois même, par erreur... La merveille? Même là, il y avait un «jeu à jouer». Un jeu parallèle aux autres. J'étais trop pur, ou trop brûlant, ou trop entier — trop animal? — et j'avais une vie sexuelle complètement «polluée». Une «vie sexuelle»... Une absurdité en soi au départ. Une vie entre un petit goût de faire le mal et une immense envie de fuir. Même avec elle, si souvent. Faire l'amour les yeux fermés. Comme voler. Comme se noyer. Par défi. Pour oublier. Enfant jouant, contre son mal de dents, à répéter toujours jamais toujours jamais toujours jamais jusqu'à s'en étourdir, jusqu'au vertige, jusqu'à dégringoler... Du haut de son enfance... les bras en croix... D'aventure en aventure, d'«expérience» en «expérience», fuyant dès que quelque chose commençait à mal aller, changeant de couleur comme un caméléon. Peur de perdre même (sinon surtout) là. Perdre quoi? Ma foi en moi-même et dans les autres. À faire l'amour sans aimer, pour libérer les nerfs, par nervosité. À faire l'amour comme tout ce qu'il restait de la liberté. Liberté? Nom donné le plus souvent à tous les sentiments inutiles. Ou à une dispersion à justifier. Peut-être n'avais-je tout simplement pas eu de chance. Peut-être donnais-je le nom d'amour à ce qui n'était qu'une sensualité trop longtemps étouffée. Peut-être encore étais-je, dans ma révolte, comme dans mon rêve, un cas unique... Une manière d'enfant retardé... Ou d'homme en retard? Pour moi, c'était une incroyable pauvreté — triste et laide et mesquine comme toutes les pauvretés — que je lisais dans ma vie et dans ces temps qui «changeaient». Une pauvreté que je n'accepterais jamais. Pas plus que je n'acceptais les silences peureux. Pas plus que je n'acceptais de taire mes peurs, quitte à m'en exposer au ridicule. La pauvreté matérielle ne m'était rien. La pauvreté de coeur m'était insupportable. La ville... J'étais prêt à sacrifier ce moi dont on essayait de me démontrer l'inutilité, à le taire même, mais pas ainsi. Pas pour ça. Comme pour le sécurisant sentiment d'«appartenir» ou de ressembler, par exemple. Pour «quelqu'un», oui, peut-être, pas pour une idée. Une idée comme la vague promesse d'un monde meilleur à venir, à condition que... Là, je n'acceptais plus. Je me fermais. Je retrouvais l'entêtement d'un paysan normand. Je retombais en Moyen Âge.

«Quand on veut quelque chose, on prend les moyens...»

La ville vue parfois comme une maladie. Exactement comme une mémoire concrète, trop structurée, donc fermée sur elle-même. Où le geste neuf a peine à se trouver une voie...

Peut-être avais-je parlé de campagne à des amis, cherchant à les convaincre, sans le réaliser, de m'y suivre. Il est vrai qu'en nous organisant le moindrement tout était possible. C'est en tout cas ce que je croyais. Je comptais sans le fait simple qu'on ne peut — à moins de le faire comme «expérience» (et les «expériences» étaient ce que je voulais le plus éviter désormais) — se mettre, du jour au lendemain, à vivre avec huit ou douze personnes. À vivre avec elles, c'est-à-dire à partager leur intimité quotidienne. Il n'était pas question pour moi de sacrifier quoi que ce fût de ma liberté déjà si mal en point, même à un idéal. Un idéal... L'abstraction, j'y vivais depuis trop longtemps déjà.

«Organisons-nous à deux... Nous verrons ensuite...»

Il y avait la question d'argent. L'éternelle question. Moi pouvant difficilement me résoudre à sacrifier quoi que ce fût, même à mon projet, à notre projet. Ne voulant pour rien au monde cesser de vivre le peu que j'arrivais à voler à la ville. Ne voulant pas commencer à vivre «en attendant», comme en suspens. Elle encore moins que moi, ayant toujours vécu en pleine abondance. En trop d'abondance par rapport à moi? Je savais qu'avec un peu de sacrifices — en nous tenant à l'essentiel — nous pourrions vivre à la campagne avec presque rien. N'avais-je pas vécu tout un été, trois ans auparavant — un des plus beaux étés de ma vie —, avec cinquante dollars par mois. Simplement, il est vrai. Coupant sur mes envies. Comme celle de venir à la ville une fin de semaine, ou celle d'un disque récent ou d'un film. Me nourrissant de truites, de fraises sauvages, de mûres et des (quelques) légumes de mon jardin. Comme un Indien? À la Jean-Jacques? Pas assez encore à mon goût. L'argent... La question des questions. L'illusion des illusions. J'aurais pu essayer d'en faire malhonnêtement. Je n'étais pas doué. Je n'avais pas la main. Je n'étais pas assez vite. Et puis, malgré tous mes efforts, le «pur» en moi se rebiffait à l'idée de profiter des gens ou des situations. Encore là, j'étais retardé...

Je suis de ceux qui, après avoir cru de toutes leurs forces à une chose, y ayant perdu foi, la méprisent totalement. Je parle de la conviction profonde que j'avais jusqu'alors eue qu'on ne peut être heureux que si on fait un travail qu'on aime, qui nous satisfait, qui, au lieu de nous en vider, nous remplit de paix intérieure. Conviction ou croyance naïve, «romantique»? Travailler, comme vivre, comme aimer, n'était-ce pas avant tout apprendre à s'ouvrir aux autres...

Puisque je n'en finissais pas de dégringoler et qu'il semblait que rien ne dût changer, je me suis dit que peut-être en arrivant à contrôler ma chute, «en la provoquant délibérément pour en connaître tout le mécanisme», je serais sauvé. C'est, je crois, ce qui s'appelle se prendre à son jeu...

Je me suis mis à travailler comme un enragé. Je me suis mis à courir. Au pas du monde. À son pouls. Allant jusqu'à boire quatorze tasses de café par jour. Pas de l'instantané, du filtre, et fort. Pour m'aiguiser les nerfs. Pour me donner un poids. Pour me sensibiliser de force, moi que la ville et son rythme abrutissaient et rendaient, par réaction, indolent, presque amorphe. Café. Drogue. Pour me salir, pour me noircir. Pour saisir enfin le rythme du monde… qui n'est personne. Petit Balzac. Petit Rastignac.

«À nous deux, Cosmos!»

Est-ce d'elle ou de moi que j'ai douté? Quand j'ai commencé à avoir peur de la perdre, si je ne jouais pas le jeu. Le jeu… Lequel? Celui de vouloir conquérir la fortune? Celui de «produire»? Celui plutôt de chercher, sous le beau et faux prétexte de folie d'aimer, à me justifier de mes petites habitudes, de mon petit confort, de mon manque de force à les dépasser. Celui de travestir mes peurs, mes ignorances. Vis-à-vis d'elle? Même pas. Vis-à-vis de moi-même, elle étant, de toutes celles que j'ai connues, la personne qui jouait le moins, qui, quand elle jouait, si elle jouait, ne cherchait jamais à en profiter, le faisant en toute gratuité, en toute liberté.

Quand on court, exactement comme quand on va trop lentement, on n'est plus qu'un corps. On n'a plus de corps. On flotte. On vole. On est extra-terrestre, ange, oiseau… On en oublie le reste. Le reste… Les autres, ceux qu'on aime, qui nous aiment.

Sept heures et demie. Elle s'en allait travailler. Moi, je sortais ma plume, mon papier. Je caressais la feuille vierge. Écrire. Écrire. Écrire. Travailler? Si oui, comme un plombier réparant des tuyaux, un facteur livrant ses lettres. Ou comme un alchimiste essayant de transmuter ses noirs d'âme en diamant? Ou comme un vendeur de vent? Écrire. Pour moi, dire les choses le plus fidèlement possible. Donner des formes à mes peurs, à mes joies. À mes peurs, pour les tuer. À mes joies, pour les partager. L'espérant du moins. Écrire… Remplacer les mensonges usés par des nouveaux? Perpétuer les illusions? En inventer de nouvelles? Écrire… Brûler tout à mesure pour permettre une recréation et une suite du monde. Écrire... Tout et rien, mal et bien...

Rien ne venait. J'en voulais trop. J'allais trop vite. Je voulais tout écrire d'un seul coup, en finir une fois pour toutes, tout liquider, enfance, passé, mémoires. Je n'étais pas prêt à payer le prix. Le prix et le privilège d'être mon seul maître. Mon maître... J'étais plutôt l'esclave de mes obsessions, de mes peurs devenues prétentions. Celle, entre autres (entre bien d'autres), de croire que j'avais, moi, «quelque chose» à dire, comme un «message» à livrer, une mission à remplir, un «génie» à libérer, alors qu'en fait j'étais la proie du problème le plus banal de ma survie — le plus banal, le mieux caché aussi, pour le garder secret, comme s'il avait été honteux. Sans doute étais-je unique et avais-je raison, dans ma fierté, de me défendre de ce que je n'aimais pas. Mais si j'étais unique, ce n'était — pour ce que je pouvais en savoir — qu'en ce que j'avais la chance et le don d'écrire, pas en ce que j'avais à dire comme tel, tous et chacun ayant quelque chose à dire. D'ailleurs, tout ce que j'écrivais, ne le volais-je pas aux autres? Mes formes, ne les volais-je pas toutes à l'amour, aux gestes découverts après elle, près d'elle, en elle, en nous! Un «nous» qui m'échapperait toujours... Et puis, unique, je n'étais pas le seul à l'être...

Je me suis mis à courir. Je me suis fait violence. J'ai fait violence à la nature en moi, sans réaliser que, automatiquement, je faisais violence aux autres, même, sinon surtout, à elle. Elle que je disais aimer. Elle pour qui je voulais tout mais un tout auquel je voulais arriver seul. Pendant des mois j'ai couru. A bout de souffle. Petit Balzac. Petit Rastignac. Crac!

«Docteur, quand est-ce que je vais pouvoir sortir d'ici?»

Le petit homme plaintif du lit voisin... Voisin?

Un accident bête et brusque. Le venin couvant depuis des mois, incendiant les veines. Ma petite vie de papier flambant d'un coup, d'un seul coup, d'un seul gros ouf! Puis ce lit, cette chambre, cet hôpital. Piqûres, pilules, temps perdu... Perdu? Une maladie plus longue que dangereuse, plus banale que grave. Du repos, beaucoup de repos. Tous les liens brouillés entre elle et moi. Tous?

Marie, Marie, Marie...!

Peut-être me fallait-il vivre au moins une fois ma folie jusqu'au bout. Peut-être n'apprend-t-on que par échecs (ce que, plus tard, on appellera expérience)... Quand on en est rendu, sous prétexte d'amour, à faire payer aux autres le prix de sa folie (combien d'illusions lui aurai-je cassées? Combien de rêves lui aurai-je volés?). Folie? Petite folie. Rien en comparaison de la sienne, de sa folie d'aimer. Elle aura tout accepté de moi, elle m'aura cru malgré tout, elle aura eu confiance, elle m'aura suivi jusqu'ici. Suivi? Elle m'aura été fidèle. Elle, la si légère, la si aérienne, la si fragile, que je croyais faible et même, à cause de sa fantaisie, superficielle. Elle sera allée jusqu'à oublier cette fois où elle est venue me voir. La première fois. Plus belle que jamais. Moi, dur, fermé, blessé, orgueilleux. Lui criant de s'en aller de tout mon silence.

«Tu n'étais plus le même... Je m'en suis bien rendue compte...»

Si difficile de toujours être le même, de ne pas jouer à un «autre»... Surtout quand on est en quête de beaux mots, de belles images... D'une beauté à deux tranchants... Comme sont coupants les côtés d'un miroir... Comme on ne sait jamais d'où vient la source...

Il lui aurait été si facile de me quitter, de m'oublier...

Un accident bête et banal. Banal. Même pas de quoi en faire une histoire que j'aurai faite pourtant, en disant au passé ce que j'aurais pu dire au présent, en mentant encore un peu, ici et là, en ne disant pas tout, ce que je n'aurais pu faire de toute façon, la moitié au moins des motifs qui m'animent m'échappant... Ce qu'il me reste à accepter... Et des autres, et de moi... Le plus difficile peut-être... L'insaisissable... L'insaisissable de l'amour, de vivre au jour le jour... En comptant le moins possible. En acceptant de mourir à mes illusions, un peu chaque jour, de la mort et de la métamorphose simple, anonyme, ordinaire de chaque jour. Pour la vie, pour l'amour de chaque jour, avec patience. En acceptant de me salir des autres. L'énigme, la seule et la plus merveilleuse énigme. La seule magie. Difficile et sans cesse à reconnaître. Nécessaire... Et surtout, surtout, sans héroïsme.

«Moi, je veux des tournesols... Un champs de tournesols...»

Elle, hier. Moi, demain. Ce soir ou demain ou...

«Tu sais, tes tournesols, si nous n'arrivons pas à la campagne à temps, nous pourrons toujours en planter sur le toit...»

Les mémoires d'un chat

QU'EST-CE que tu fais?
— J'écris.
— Tu quoi?
— J'écris...
— Ah!... Et qu'est-ce qu'écrire?

J'étais installé sur la véranda ce jour-là — un beau jour de mi-août — et m'étais, depuis dix minutes déjà, mis à imaginer une suite au roman commencé la veille quand, soudain, d'un bond leste et doux, mon chat — le chat — sauta sur ma table de travail et vint se frotter les moustaches au bout de ma plume. Il n'y avait que trois jours que je l'avais recueilli chez moi, mort de faim, tirant la langue, magané comme huit, ce vieux mâle jaune et magnifique, et j'étais heureux qu'en aussi peu de temps il en soit venu à me manifester autant de confiance. Lulu se désespérait d'une robe saccagée, d'un livre en miettes; moi, je me réjouissais en secret. Tous ces massacres, c'étaient autant de signes que la vie revenait en force chez mon nouvel ami.

«Bonjour!... Comment ça va?... T'es bien beau aujourd'hui!... Qu'est-ce que tu veux?... Viens pas me dire que t'as encore faim...!»

C'était ainsi que je lui avais parlé tantôt, que je parle d'habitude aux chats, sans réaliser que je m'adressais à lui ni plus ni moins qu'en vieille tante incommode s'enquérant du nombre de pouces qu'a pris son petit neveu depuis la dernière fois qu'elle l'a vu et qui reçoit de lui une grimace dès qu'elle a le dos tourné.

«Non, mais!... T'as pas fini?... Toujours à me faire des ti gui di... Je ne suis quand même pas si bête que ça!» m'avait interrompu le chat.

J'avais sursauté. Jamais encore je n'avais entendu mon chat — un chat — me parler. Avais-je donc tant changé ces derniers temps, comme Lulu avait semblé vouloir me le faire entendre?

«Mais depuis quand est-ce que tu parles, toi?
— Ah! tu ne savais pas... J'ai oublié de te le dire...»

Il y avait eu un court instant de silence entre nous. Pour la première fois, nous nous étions regardés, le chat et moi, droit dans les yeux. Et, chose étrange à dire, c'est moi qui avais abandonné le premier. Ce chat — le chat — était peut-être plus qu'un chat (en tout cas, pas n'importe quel chat). Je dois préciser que, depuis quelque temps, je m'intéressais d'assez près aux cultes d'Isis et d'Osiris, où les chats jouent un si grand rôle. Ce chat, c'était peut-être bien l'âme d'une ancienne reine égyptienne revenue?

— Écrire...? Écrire, c'est... c'est jeter ses pensées sur le papier avec une plume...
— Une plume?... Une plume d'oiseau?

Ici, les yeux du chat étincelèrent étrangement.
— Non... Enfin, oui, des fois... N'importe quelle plume peut faire...
— Ah!...
— Où en étais-je?
— À la plume sur le papier...

— Ah! oui... Donc, écrire, c'est jeter sur le papier tout ce qui nous passe par la tête et ensuite...
— Et qu'est-ce que tu écris?

— Maintenant?
— Oui...
— Une histoire...
— Ah! Et qu'est-ce qu'une histoire?

— Eh! bien, une histoire, c'est un texte avec une intrigue, des personnages, une action... On raconte quelque chose qui nous est arrivé... ou qu'on aimerait bien nous voir arriver...
— Ah!...

Je ne savais que dire au juste, ayant toujours eu pour principe d'écrire uniquement ce que je ne puis conter à personne et, par conséquent, de ne jamais parler de ce que je vais faire.

Mais le chat ne lâcha pas prise.
— Et quelle est cette histoire?
— Tu veux dire, quel en est le thème?
— Hum!... Oui, enfin... si tu veux.
— Eh! bien, repris-je — moi qui ai déjà tant de difficultés à me faire comprendre, même de mes amis, je me sentais tout de même un peu ridicule d'être là, à raconter mon histoire à un chat, comme si c'eut été le seul être à qui je pouvais la confier —, eh! bien, c'est l'histoire d'un jeune homme très doux, et très timide, à la recherche d'une femme qu'il a aperçue un jour dans un de ses rêves, et sans laquelle il sait qu'il ne pourra plus vivre désormais...
— Et alors?
— Alors, peu à peu, il en arrive, dans sa quête de cette femme, à ne plus savoir la différence entre rêve et réalité...
— Est-ce qu'il y a beaucoup de sang?
— Du sang?... Quelle idée!
— Je ne sais pas, moi... Le rouge, c'est une belle couleur, non...?
— Oui... enfin, peut-être...
— Et ça finit comment?
— Je ne sais pas encore. Je n'en suis qu'à la page trois...

Un petit sourire flottait dans les moustaches du chat.
— Hum!... En somme, c'est un peu ton histoire que tu veux écrire...

— Comment ça?

— Crois-tu que je ne t'ai jamais vu quand tu rentrais seul le soir et que tu allais te mettre au lit, non sans avoir poussé, avant d'éteindre, un soupir qui en disait long?

— Ha!

C'était un ha! jaune.

— Je t'ai même entendu prononcer un nom dans ton sommeil...

— Ah!... et quel était ce nom?

— Quelque chose comme Astrud ou Astral...

— Astrid! corrigeai-je. C'est le nom de mon héroïne...

Le même petit sourire en coin revint sur les lèvres du chat.

— J'en sais sur les gens bien plus long qu'ils ne le croient en général...

«En effet, songeai-je. Ce chat pourrait même être dangereux, s'il lui en prenait fantaisie.»

Il y eut un autre court instant de silence entre nous. Je ne suis pas un voyeur mais j'enviais soudain au chat sa condition de chat. Vous voyez tout et jamais personne ne vous soupçonne de rien.

— En somme, reprit le chat, c'est une sorte de journal intime que tu écris?

— Non, pas exactement. Je veux aussi parler de l'enfance difficile de mon héros... de sa lente adaptation au monde...

— Des mémoires, alors?

— Non plus. Enfin, d'une certaine manière, oui, si tu veux...

— Écrire ses mémoires à ton âge! Vraiment il y a de quoi faire sourire!...

Je me taisais. Il avait bien raison. Et si c'était, ce chat, au lieu de ma reine égyptienne, le diable qui venait à moi, entrait de nouveau jeter le trouble dans mon âme? Quand même...!

C'était beaucoup plus simple. Un vieux matou me lançait toute crue au visage la vérité que, jusqu'alors, aucun de mes amis — par peur ou manque d'honnêteté — n'avait osé me dire. C'était dur. C'était vrai.

— J'ai une idée, dit le chat, pourquoi n'écrirais-tu pas mes mémoires à moi. Je suis vieux. J'ai pas mal bourlingué. Je dicterai. Tu n'auras qu'à copier...
— C'est une idée, répondis-je.

Et plus j'y songeais, plus je m'apercevais de l'originalité de la proposition. Les mémoires d'un chat, ça ne s'était encore jamais vu... En somme, je n'aurais qu'à prendre en note les confidences du chat.

— Pour les droit d'auteur, je te fais confiance, reprit celui-ci. Et puis, nous avons tout le temps... Maintenant, j'ai un rendez-vous que je ne puis absolument pas manquer... Disons que nous nous retrouvons ici dans trois ou quatre heures... Ça va?
— Ça va, répondis-je. Ici, sur la véranda, dans trois ou quatre heures...»

***

«J'ai eu une idée tantôt pour la manière dont nous pourrions procéder, commença le chat, cinq heures plus tard, après qu'il se fut installé à son aise sur un coussin que j'avais disposé sur une chaise, à son intention, à côté de ma table de travail.
— Bon, alors, vas-y! Explique-moi!

Je n'en revenais pas. Vraiment ce chat avait de la suite dans les idées.
— Nous pourrions procéder par des manières de chapitres à travers lesquels se recouperaient les événements de ma vie... par exemple, un chapitre pourrait s'intituler «Les amours», un autre, «Fine et moi», un autre, «Le rival», etc...
— C'est une excellente idée», répondis-je, n'en revenant vraiment pas de l'intelligence avec laquelle le chat menait son projet!

Nous convînmes d'une douzaine de chapitres dont je ne mets ici en ordre que ceux qui m'ont semblé vraiment significatifs ou publiables, certains frôlant — l'atteignant même très souvent — la pornographie, d'autres, traitant de questions métaphysiques et morales propres à bouleverser tout ordre social existant.

Nous travaillâmes à raison d'un chapitre par jour, soit pendant environ un mois.

Voici, avec quelques légères retouches, les chapitres choisis:

Petite enfance

J'ouvre l'oeil sur le monde une nuit de pleine lune (si je m'en souviens, c'est à cause de l'oeil de ma mère qui reflétait celle-ci d'une manière vraiment particulière). Et, quoiqu'il ne fasse pas bien clair — car ma mère m'a mis bas au fond d'une vieille boîte, dans un garde-robe —, je ne suis pas long à découvrir que Miaou (le dieu des chats, à ce qu'il m'a semblé comprendre) m'a doté de deux petites soeurs charmantes et d'un frère superbe. C'est au fond de cette boîte que nous avons nos premiers jeux, et nos premières querelles. Car l'une de mes soeurs, la rayée, se montre si goulue à la tétée qu'il faut presque toujours se battre avec elle avant de trouver un coin chaud au sein de notre mère. Cela pourrait très mal tourner pour mon autre soeur, la tachetée, une délicate, celle-là, une sensible — un vrai frisson! —, qui cède sa place en tout. Mais ma mère a le sens de la justice et sait, d'un seul coup de griffe, remettre les choses en place. C'est une chatte simple et douce, très bonne. Elle dit avoir été, dans une autre vie, adorée comme déesse. J'ignore s'il faut la croire ou non. Ce n'est que beaucoup plus tard qu'initié aux grandes questions j'ai appris que nous, chats, avons été, à un certain moment de l'histoire, très puissants. Les temps ont changé mais nous devons, paraît-il, retrouver un jour — il est question d'une grande Éclipse rouge à venir — notre empire perdu. Mais il faut vivre, comme on dit, et je me désintéresse et même me méfie de ces vagues théories qui, trop souvent, aboutissent dans le rêve.

Jamais je ne rencontre mon père. Le peu que ma mère m'en dit jamais me laisse entendre que c'est un vaurien qui ne songe qu'à courir la gargouille — comme on dit chez nous —, sans se soucier le moins du monde des chattes qu'il engrosse et de sa progéniture. Est-il vivant, était-il déjà rendu dans une autre vie au moment de ma naissance? Je serai père bien avant d'éprouver le désir de le revoir.

Nous vivons heureux, ma mère, mes deux soeurs, mon frère et moi quand, un jour, notre maître qui, depuis quelques lunes, s'est mis, à la suite du départ de la maîtresse, à boire, commence à ne plus s'occuper de nous et même à battre notre mère si celle-ci ose seulement lui demander quelque chose à manger. Un soir, je me souviens, n'en pouvant plus de le voir maltraiter notre mère, je lui bondis au visage et lui grafigne le nez jusqu'au sang... Il n'en faut pas plus pour que, dans un hurlement, il me saisisse à plein corps et me lance par une fenêtre qui, heureusement pour moi, est ouverte, et plus heureusement encore donne sur un gazon. C'est ainsi que je me retrouve, à l'âge de huit lunes, seul au monde... Je ne devrai jamais revoir les miens... Ce que je miaule de désespoir — et de douleur tout aussi bien, car ce salaud de maître m'a presque étranglé — cette nuit-là! Mais on se fait à tout. Je finis par me consoler en me disant que Miaou, s'il existe vraiment, nous fera sûrement tous nous retrouver un jour...

Je pourrais, comme tant d'autres dans ma condition, m'endurcir ou devenir comme un de ces minables minous qui, pour un bout de rognon, feraient n'importe quoi... L'amour me sauve... Un quart de lune après avoir été si brutalement séparé des miens, en effet, après bien des errances, je rencontre Stella.

Stella

Elle a dans les trois éclipses — ce qui, pour une chatte, n'est plus tout à fait la première jeunesse. Elle habite une vieille carcasse de rolls-royce au fond d'un cimetière d'autos. C'est une snob, capricieuse et fantasque, cette

Stella, mais quelles nuits je passe chez elle! C'est elle qui m'apprend de l'amour tout ce qu'il est possible d'en savoir et même que trop d'amour peut en arriver à lasser. Car elle se montre si exigeante envers moi — un peu plus, et je devrais chasser pour elle — que je finis par préférer mon ancienne condition de crève-la-faim à celle qu'elle me fait. Je m'enfuis une nuit de chez elle, sans retour. Resterai-je marqué par une telle expérience? Heureusement pour moi, je ne serai pas long à rencontrer Fine... Mais ceci est un autre chapitre...

L'ami

Je ne connais rien encore de l'hiver. Cette année-là (un quart d'éclipse environ), celui-ci s'installe en un huitième de lune. Tout à ma liberté retrouvée, je n'ai songé qu'à m'amuser (se sont succédées dans mon coeur Coquine, Gourmande et Cute, une jeune Anglaise). Je n'ai rien prévu des rigueurs du froid. Et n'eut été l'amitié du chef-chat du quartier où je suis tombé, je n'aurais pas fait de vieux os. Sans lui, dont je garderai jusqu'à mon retour en Miaou un souvenir ému, on m'aurait sans doute découvert un matin gisant gelé raide sous une galerie ou au pied d'un escalier. Il partage — privilège rare dont je ne mesure pas encore, dans ma jeune insolence, tout le prix — ses plats et ses gîtes avec moi. C'est lui qui, mieux qu'un père, m'initie à tous les trucs de chat de gouttière (statut félin beaucoup plus noble que celui de chat de gargouille). À savoir: comment aller chercher, sans se salir, ce qu'il y a d'encore comestible dans un tas de détritus, comment pleurer d'amour à la lune selon la forme de celle-ci, éliminer les rivaux et séduire les belles indifférentes, lancer la souris en l'air, croquer le moineau sans se blesser au bec ou aux ergots... Enfin, les mille trucs qui font d'un chat un chat...

Le printemps revient. Et, avec lui, les oiseaux (toujours du moineau au menu, à la longue, c'est lassant!). L'herbe pousse. Le soleil fleurit. Quel bonheur de pouvoir de nouveau mijoter ses rêves dans la fraîcheur d'un doux après-soleil! Et puis, il y a Fine rencontrée au bal...! Fine revue! Fine là! Fine partout!...

Un grand chagrin m'attend.

Un matin, mon ami me fait venir auprès de lui.

«Je suis vieux, dit-il, et je n'en ai plus pour longtemps. Pourtant, je veux, avant de retourner en Miaou — car mon cycle de sept vies est achevé —, te donner un conseil: montre-toi toujours moins intelligent que tu ne l'es en réalité... et tu réussiras.»

C'est le seul conseil que j'ai jamais accepté de quelqu'un.

La nuit du même jour, entouré de trois de ses favorites et de tous les chefs-chats des environs — car il est fort respecté pour sa grande sagesse —, il expire. Ce que nous pleurons tous!

Le grand passage de notre ami terminé, les chefs-chats des quartiers voisins, réunis en conseil, me proposent de remplacer l'en allé, car je suis devenu en quelques lunes un jeune chat habile et puissant. J'accepte.

Je dois, cette nuit-là, battre au moins une trentaine de chats et même une femelle qui a des prétentions au titre qui vient de m'être donné. Je deviens donc chef-chat à l'âge de trente lunes (ce qui est fort jeune). Pas pour longtemps.

Trois huitièmes de lune plus tard, à cause d'une tête de poisson non saisie à temps, je suis enfermé par un vieux couple qui m'emmène à la campagne le jour suivant.

Je laisse derrière moi un empire mais surtout, surtout, Fine, ma Fine adorée, qui était devenue, entretemps, l'unique reine de mon coeur.

Fine, ma Fine...!

L'unique reine de mon coeur!

C'est au bal printanier des Queues-de-Mulots que je rencontre Fine pour la première fois. Il y a là toute la crème du monde des chats de ruelle: chefs des quartiers avoisinants et leurs suites, chats de gargouille,. vieilles courtisanes venues rire entre elles du faux pas de la petite débutante, mères accompagnées de leurs dernières portées... Pour un jour entier, c'est la paix chez le peuple des chats! On s'amuse, on rit, on danse... On sert du lait, des sardines, des rats entiers... Un orchestre joue même une suite pour tibia de chapon seul du célèbre Maour... Mais tous ces lustres et ce luxe me laissent froid... Je n'ai d'yeux, dès mon arrivée, que pour elle... Elle!... Ce n'est encore qu'une petite chatte. Mais quelle grâce, quel charme déjà sous ce frais minois rose et blanc! Elle n'a rien des autres. Les autres... Comme elles sont loin dans mon coeur, Coquine, Stella, Cute, Gourmande, Époustouflante, Suave, Câline et toutes les autres! Cette Fine les éclipse d'un seul coup à jamais. C'est la féline à l'état pur! Pas prétentieuse pour deux souris... Un sourire... Le sourire de l'innocence! Des yeux... Des yeux, non, deux bouts de braise ardente! Une voix à faire tomber tous les oiseaux des arbres! J'apprendrai un peu plus tard que trois duels ont eu lieu, aussitôt le jour de paix achevé, à cause d'elle...

J'ai beau m'être déjà un peu brûlé aux feux de la passion, je reste tout gauche, tout timide devant elle. Ah! Quel émoi! Je veux lui parler... Je l'approche... Les sons me fondent dans la gorge. Miaou qu'elle est belle! Je l'emmènerais bien sous mon viaduc préféré! Ou plutôt, non, c'est sur le toit le plus haut que je l'entraînerais si seulement elle... Si j'osais seulement... Comme on doit bien sommeiller à l'ombre de ces moustaches-là, sous l'oeil infini des étoiles! La nuit s'achève en queue de poisson...

Le lendemain, je la revois. Elle est à mâcher des herbettes dans un jardin. Je réussis à lui glisser un ronron à l'oreille... et m'enfuis. Confus, mais heureux de mon geste.

Et puis, le jour suivant, c'est elle qui vient d'elle-même se frôler.... et ce sont les premiers aveux...

C'est le printemps le plus exaltant de ma vie. J'aime et je suis aimé. À la mort de mon ami, c'est elle qui trouve les miaulements pour me consoler. Et puis... Et puis, cette maudite tête de poisson non saisie à temps entre nous!

Quand on ouvre la porte de la cage où l'on m'a enfermé, si on ne me trouve pas mort, c'est que j'ai l'espoir de retrouver un jour ma Fine, malgré tout... Fine, ma Fine!

Des souris et des oiseaux

La campagne est jolie. Il y a ici une profusion de souris et d'oiseaux incroyable. Des oiseaux comme je n'en ai encore jamais vus. Des gros, des petits, des jaunes, des bleus, des rouges, des multicolores... Un délice! Et les souris! Dodues, joufflues, nourries au grain...! C'est bien simple, on croirait, à croquer toutes ces petites merveilles qui trottent, pépient, sautillent, fortillent, gazouillent, jasent, caquètent, manger de la nature! Je passe sous silence mille autres animaux que Miaou, dans son immense imagination, conçut pour le plaisir de l'oeil et du palais... Il y a, bien sûr, moins de divertissements ici qu'à la ville... Et les molosses des fermes voisines sont beaucoup plus menaçants que les chiens gris et ternes des rues... On se fait à tout... Même au bonheur...

On ne se fait pas à tout. J'aurai beau m'habituer peu à peu à cette vie simple et douce que m'offre la campagne, jamais, de tout le temps que j'y resterai, je n'arriverai à oublier Fine... Comme elle serait heureuse ici...! Comme nous filerions le parfait amour tous les deux! Bien sûr, j'aurais des liaisons (un chat est un chat). J'aurais même l'occasion de voir quelques-uns de mes petits pour la première fois... Toujours, et même (et surtout) aux grands instants de bonheur, le souvenir d'elle me reviendra... Fine, ah! Fine, où es-tu?

Une nuit, je rêve d'elle. Un rêve électrifiant!

Elle est entourée d'énormes rats trois fois plus gros qu'elle. Elle miaule de sa petite voix suppliante: «Au secours! Ajax (c'est mon nom à l'époque), au secours!» Je lui crie: «Attends-moi, Fine! J'arrive...»

Je me réveille juste à temps pour retomber sur mes pattes (car, aux jours chauds d'été, je dormais sur le toit de la maison).

Que pouvons-nous contre le cruel destin qui nous a séparés? Il faut vivre.

Quelques aventures d'alors me reviennent en mémoire.

Un jour, je rencontre une drôle de bête mi-noire, mi-blanche, au museau pointu, au pelage éblouissant et qui a une superbe queue en panache. Je veux lier connaissance avec cette reine de la mode... Je m'approche... Pschittt! Une odeur épouvantable m'envahit tout entier... J'aurais pourtant dû me méfier de tant de magnificence, moi qui ai toujours été si cruellement déçu par la beauté... N'y a-t-il pas eu ce premier hiver, tout blanc, mais mortellement froid! Et puis, Fine perdue pour une vulgaire tête de poisson! Et la campagne comme un monde entre nous... Et cette...

«Mouffette, interrompis-je.
— Ah! c'était une mouffette...! Merci.»

Une autre fois, c'est un combat contre un immense oiseau qui m'attaque.

Une autre fois...

«Il y a une chose que je n'arrive pas à saisir dans ce que tu as dit tout à l'heure, interrompis-je de nouveau le chat. Tu as dit, en parlant de ton rêve qu'«à cette époque», tu t'appelais Ajax. Mais si tu n'avais pas de maître à ce moment-là, comment pouvais-tu avoir un nom? Faut-il comprendre que vous, chats, vous donnez des noms entre vous?

— Pas exactement, répondit le chat. Chez nous, tout est question de sons. Un son exprime un sentiment. Ainsi, en réalité, Fine n'avait pas de nom fixe... Mon sentiment le plus fort pour elle avait effectivement ce son de Fine... Mais elle pouvait tout aussi bien s'appeler, selon les situations, Folle, ou Fone, ou Flamme, ou... ou tout ce que tu voudras. C'est d'ailleurs là une question intéressante car j'ai remarqué — depuis que je m'occupe de choses plus sérieuses — que tous mes maîtres ou maîtresses faisaient la même chose que nous mais sans s'en rendre compte... J'ai d'ailleurs développé une petite théorie là-dessus...

— Ah!...
— Oui, mais nous verrons ça demain. Pour l'instant, je meurs de faim...»

Théorie des noms

(Suit ici une interminable théorie — que je vous épargne — où le chat m'apprend qu'il a eu plusieurs noms dans sa vie. L'essentiel de son idée tient en ce qu'un maître ou une maîtresse donne toujours à un chat le nom d'un désir inavoué ou d'une réalité de l'âme difficile à regarder en face; ainsi, une maîtresse d'école l'aura baptisé Chut, un curé, Démon, un écrivain, Coquette, un astrologue, Abracadabra, une vieille fille, Raoul (prononcé à l'espagnole)... Le chapitre suivant sera aussi constitué d'une théorie: celle de l'entretien. Le chat y développera cette question: quel est le seul de tous les animaux (y compris l'homme) qui réussit, sans jamais rendre aucun service, à se faire entretenir? Réponse: le chat. En conséquence de quoi, dixit le chat, on devrait avoir pour son génie plus de respect qu'on n'en a généralement. Ne les considérait-on pas comme des dieux chez les Égyptiens? Etc...

Le chat devait passer un mauvais quart d'heure, car, pendant une semaine, je n'eus de lui que les propos les plus insignifiants. On aurait dit qu'une fois lancé dans la louange de lui-même et de ses semblables il ne pouvait plus s'arrêter... J'eus droit à trois autres théories: une sur l'égoïsme, une autre sur la supposée cruauté des chats, une enfin sur le rêve... Quel fatras d'arguments et de justifications répétées! J'en vins à douter, à un certain moment, qu'il retrouverait jamais le ton si naturel du récit commencé. C'est quand il me demanda, un avant-midi: «Où en étions-nous de mon histoire avant que je n'aborde toutes ces passionnantes théories? que je repris un peu courage.

— À la campagne, m'empressai-je de répondre. Chez ce vieux couple qui t'a enfermé puis emmené là-bas... À ton regret de Fine perdue... À...
— Ah! oui, je me souviens...»

La roue tourne

Ma vie champêtre s'écoule paisible jusqu'au moment où les événements se mettent, et pour longtemps, à tourner contre moi. Est-ce que je me suis habitué trop vite et trop facilement à l'idée du bonheur? Ou qu'il en va tout simplement ainsi, dans toute vie, qu'on ait des hauts et des bas...?

La roue tourne.

Un soir, en rentrant d'une promenade, je me rends compte, aux vibrations de l'air, qu'il y a quelque chose de changé dans ma maison. Je comprends tout lorsque la maîtresse me prend dans ses bras pour me dire, d'une voix accablée par le chagrin:

«Nous voici tous les deux seuls au monde maintenant...»

Le maître est parti à jamais.

Elle le suit d'un seizième de lune. Une petite fille s'occupe alors de mon entretien.

Que la maison me semble grande, et vide et froide, soudain! Malgré moi, je le réalise, je m'étais attaché à mes vieux maîtres si calmes, si gentils. À la maîtresse surtout, qui n'avait que douceurs pour moi.

Un matin, une foule de gens envahissent subitement la maison. Dans l'affolement général, une grosse dame tout en noir se jette sur moi en glapissant, comme si elle voulait me couper en petits morceaux. Je n'ai que le temps d'entendre le mot «héritiers» avant de m'enfuir pour toujours de ces lieux où je puis dire avoir connu la paix.

À partir de ce moment, mon existence sera une longue chute. Errances, faim, soif, errances... Je passe de maître en maître — tous mauvais —, de maison en maison, sans arriver à me fixer... Ici l'on me veut chasser les souris, là, servir des tendresses étranges, ailleurs faire le chat pitre... Je feins de consentir à tout ce qu'on me demande le temps d'un repas puis je m'enfuis... Ah! Liberté! qui te conquit jamais (il dut, celui-là, se taire pour te garder jalousement)!

Si j'avais été un chat de luxe, comme ceux qu'on voit aux fenêtres des maisons, rien de cela ne me serait arrivé... Mais aurais-je autant vécu?... À quoi bon rêver de se mettre dans la peau de quelqu'un d'autre? Est-ce qu'une ne suffit pas amplement!

Cette période de ma vie (douze lunes en tout) est trouble. Quand on vit sans espoir, n'est-ce pas qu'on est un peu comme mort sans l'être...! Oui, la roue a tourné...

Il y a bien l'espoir de retrouver Fine... Mais vit-elle encore? Se souvient-elle seulement de son Ajax qui, lui, n'a rien oublié?...

Le retour

Comment je me retrouve dans mon quartier d'origine un beau matin, je ne m'en souviens pas. Mais je n'ai, dès lors, de souci — comme revenant d'un seul coup à la vie — que de retrouver Fine. Je m'enquiers d'elle auprès des quelques chats que je peux encore connaître. On ne sait rien. Finalement, j'apprends que, séduite par mon premier rival de l'époque, elle a disparu avec lui aussitôt après mon départ. Fine amoureuse de ce... de ce...! Non, ce n'est pas possible. Je ne puis le croire! Il l'aura prise de force pour se venger, et d'elle (car elle s'était déjà refusée à lui) et de moi... Je jure alors de n'avoir de repos que je l'aie retrouvée, ne serait-ce que pour la libérer de ce... Et je pars en quête!

Fine, est-ce toi?

Une nuit que, complètement épuisé par des heures de vaines recherches, je me suis couché tristement dans un escalier de secours, soudain, j'aperçois au loin, dans la pénombre, entre deux boîtes de conserve géantes... Fine! Non... Ce n'est pas possible... Je me griffe pour y croire... Elle! Ici... Dans ces bas-fonds! C'est elle! Fine, ma Fine à moi! Aussi présente en mon coeur que la première fois où je la rencontrais au bal, si gracieuse, si charmante... Je suis ému jusqu'aux larmes. Je remercie Miaou de m'avoir rendu celle qu'il m'avait ôtée. Fine vit! Fine est là, à cinq pattes de moi... Mais qu'a-t-elle? Elle pleure...? C'est lui qui la fait souffrir, le lâche...! Je bondis vers elle en m'écriant: «Fine! Est-ce toi?»

Elle m'aperçoit.

«Non!»

C'est elle.

Soudain, un gros mâle aux yeux froids et cruels surgit de derrière une poubelle. Mon rival! C'est l'affaire de quelques rayons de lune d'éliminer ce chacal, tant la pensée de Fine retrouvée m'inspire...

Je gagne un empire (mon rival étant chef-chat du quartier et l'ayant battu, c'est moi qui, automatiquement, prend sa place). Que m'importent tous les empires de la terre puisque Fine est près de moi désormais...!

Nous ne nous quitterons pas de trente-six lunes, jusqu'à ce stupide accident... Elle traverse la ruelle un soir... Un camion fonce droit sur elle... Une roue la happe...

Et pour moi, la roue tourne encore.

Cette fois, je sombre dans le désespoir le plus noir. Je quitte la compagnie des chats et... je me mets à boire. Mon inconscience dure des lunes et des lunes.

Une nuit de ciel étoilé pourtant — après bien des aventures sordides —, des images me reviennent à l'esprit. J'ai eu de grands moments de joie dans cette vie... Miaou a été bon pour moi. Pourquoi ne pas de nouveau remettre mon sort entre ses mains...? Je rentre en paix avec moi-même et cesse de boire. Je me souviens de mon séjour champêtre... Je décide alors de revenir ici... J'ai longtemps vécu dans le seul espoir de revoir Fine... C'est le même qui m'habite. Je sais que je la reverrai dans une autre vie, bien plus jeune, bien plus vigoureux, et plus sage aussi peut-être... Ou sinon, c'est en Miaou que nous nous reverrons...

— Tu en es à laquelle de tes vies maintenant? interrompis-je le chat, sentant que la fin du récit approchait.

— À la troisième...

— Si je t'ai bien compris, il t'en reste quatre à vivre alors, oui?

— C'est ça...

— Ce retour en Miaou, quel voyage fantastique ce doit être...

— Oui, n'est-ce pas!... Imagine tous ces millions de chats dans les plaines du ciel. Et Miaou enfin vu dans sa splendeur éternelle...!

— Et que s'est-il passé après ta décision de revenir à la campagne? repris-je.

— Après...? J'arrive ici et je te rencontre...

— Une dernière chose m'intrigue: quelle est cette grande Éclipse rouge dont tu m'as parlé plus tôt?

— Ça, c'est une autre histoire...

— Comment ça?

— Quelle heure est-il? me demanda le chat, changeant brusquement de ton.

— Cinq heures et demie... Pourquoi?

— Je vais être en retard... Pour la grand Éclipse Rouge, nous en reparlerons plus tard, si tu veux... J'ai maintenant un rendez-vous... Et Astrid a horreur qu'on la fasse attendre...

— Astrid... Mais c'est le nom de l'héroïne du roman que je voulais écrire...

— Tiens! Drôle de coïncidence!» se contenta de dire le chat, avant de disparaître.

Septembre était déjà fort avancé. Il me fallut quitter la campagne en hâte, une semaine après ma dernière conversation avec le chat. Celui-ci n'étant pas revenu de tout ce temps, je ne pus, par conséquent, lui proposer de venir habiter à la ville avec moi. Son image me poursuivit quelque temps. J'éprouvai quelques remords de l'avoir ainsi abandonné à son sort, lui qui m'avait appris tant de choses. Mais je ne m'en fis pas outre-mesure. Je me dis qu'il finirait bien, si ce qu'il m'avait raconté était vrai, par revenir, dans une vie ou dans une autre...

Une valise sans poignée

«C'EST comme une valise sans poignée...»

Une fois par année, pendant quarante-neuf semaines, Mademoiselle Z (ainsi appelée, et pour ne pas porter atteinte à la vie privée de la personne qui m'a servi de modèle, et pour qu'on ne croie pas mon héroïne si «spéciale» qu'elle ne puisse appartenir qu'à la fiction) prépare son voyage. Que, sur un coin de rue, elle ait, par un petit matin polaire de janvier, un billet d'autobus entre les dents, ou par un samedi soir de sortie «avec les filles», entre un programme de télévision et un bol de «cachous», un séchoir à cheveux sur la tête, elle y pense, elle y songe, elle en rêve, elle en jongle, elle s'en ronge les ongles. Ne vous demandez pas quand elle a l'air «ailleurs», ou quand elle est «dans la lune», où elle est. C'est à la banque, en train de déposer les cinquante dollars héroïquement économisés sur l'achat d'un manteau qui lui permettront, lors de son prochain envol vers le soleil, de se payer une folie de plus.

«Je pars dans trois semaines. Si tu veux que je te rapporte quelque chose de là-bas, pense-z-y, mets-toi de l'argent de côté...»

Tout en étant, à sa façon bien à elle, la personne la plus généreuse du monde, Mademoiselle Z a le sens de l'économie. À quelle complainte eut droit sa famille quand le prix des billets d'autobus passa de vingt-neuf à trente-neuf cents! En un temps où l'inflation va de pair avec la prétention de nos hommes politiques, où ce sont toujours les «petits» qui sont le plus durement touchés par l'augmentation des prix, ce fut la goutte qui fit déborder le vase. Elle qui, d'habitude, mesure son langage, y alla du plus gros mot auquel elle se pouvait laisser aller.

«C'est... c'est... c'est... écoeurant!»

On aurait cru assister, dans le petit appartement qu'elle partage avec sa mère et l'une de ses soeurs, à une révolution.

Non que Mademoiselle Z ne touche pas un bon salaire. À douze mille dollars par année, elle peut se considérer comme privilégiée. Il est vrai que les gouvernements (ce pays est peut-être le seul au monde à avoir trois gouvernements) lui mangent presque le quart de ce revenu. Il est vrai encore que tout son temps, pour ne pas dire toute sa vie, appartient au «bureau» (pour ne pas avoir à l'identifier, je donnerai au lieu de travail de Mademoiselle Z, le nom de «bureau»). Il y aura bientôt vingt ans qu'elle y travaille, ayant commencé, au sortir de son cours commercial, comme simple secrétaire s'il est pour devenir, avec le temps, grâce à ses seuls mérites, une sténo-dactylo modèle, capable de corriger les fautes de «français» de son patron, capable, même si l'occasion ne lui en a jamais été donnée, de le remplacer, malade ou en vacances. À vrai dire, elle aurait pu, n'importe quand, remplacer l'un des cinq patrons qu'elle a eus depuis le début de sa carrière. Seulement, ces postes, les mieux payés, sont réservés aux hommes (généralement mariés). Sous prétexte qu'une femme peut, à n'importe quel moment, comme si elle était soumise à une loi naturelle aveugle, décider de se marier ou de faire un enfant, le «bureau» refuse de placer des femmes aux postes les plus élevés. Pour Mademoiselle Z, le seul avancement possible serait la retraite. Pourtant, elle ne se mariera probablement jamais, ni ne fera d'enfant. Il aurait fallu que cela lui arrive quand elle avait vingt ans, quand elle n'avait pas encore goûté à toute son indépendance, quand la passion de voyager ne s'était pas encore emparée d'elle, corps et... ailes. Or, à vingt ans, Mademoiselle Z était bien trop préoccupée par son avenir (ce que, plus vulgairement, on appelle aujourd'hui la survie) pour songer à fonder un foyer. À trente-six ans, Mademoiselle Z peut se considérer à l'abri de ce que, dans son milieu de travail, on considère comme deux poids inutiles: un mari et un enfant.

J'avertis tout de suite mon lecteur et ma lectrice (pourquoi l'un avant la deuxième?) que, contrevenant ici à toutes les lois de la nouvelle qui posent que l'auteur ne doit jamais intervenir dans son récit, je me permettrai sur mon héroïne des remarques personnelles. Et si ma nouvelle n'est jamais publiée sous prétexte qu'elle n'est pas assez fictive, j'aurai au moins la consolation de savoir que j'ai essayé de donner à mon personnage une chance d'échapper à une fiction déjà bien grande. Loin de moi la prétention de «sauver» Mademoiselle Z qui n'est en rien menacée (si ce n'est par elle-même, et encore, ce n'est pas sûr). Car depuis le temps que l'idée de cette histoire me poursuit, j'en suis venu à la conclusion qu'il n'est personne en ce monde qui ne soit à l'abri de la soudaine, parfois furieuse, envie de partir pour partir, de tout laisser tomber, d'aller voir ailleurs si un autre soi-même, jusque-là insoupçonné, n'y est pas. Partir...? Est-ce que tout l'art et même, pourrait-on dire, tout effort de la volonté ne sont pas des façons de chercher à s'«élever» ou à se «déplacer», à s'envoler, ni vu, ni connu, d'un quotidien par définition difficile? Moi-même, en écrivant cette histoire, est-ce que je ne cherche pas à gagner les sous qui me permettraient ce petit voyage dans le Grand Nord projeté depuis des mois? N'arriverais-je qu'à suggérer à Mademoiselle Z qu'il est d'autres genres de voyages que ceux auxquels elle s'est jusqu'ici adonnée, pas nécessairement plus économiques mais plus gratifiants, ne serait-ce que parce qu'ils durent plus longtemps, que je considérerais avoir atteint mon but. Non que je veuille convaincre Mademoiselle Z d'aller dans le Grand Nord. Elle qui, trente-deux semaines par année, maudit l'hiver, je n'y arriverais jamais. Pas plus ne veux-je lui suggérer comme voyage, le mariage. Des demandes, dans sa vie, elle en eut trois. À des tournants où, si elle avait accepté l'offre, elle aurait à jamais compromis son indépendance. À douze ans de la retraite (où le bureau lui paiera les deux tiers de son salaire jusqu'à la fin de ses jours) et malgré la peur de se retrouver «vieille fille», Mademoiselle Z serait folle de se marier. Non, le genre de voyages dont je parle, qu'elle fait pourtant mais à un autre niveau, ce sont les voyages intérieurs. Comme celui, par exemple, qui consisterait à voyager dans les causes qui ont pu amener une personne à vivre, pendant quarante-neuf semaines par an, une vie qu'elle n'aime pas — la seule pourtant qu'elle se borne à connaître — en vue de trois semaines où tout est beau, agréable, facile, parfait, où tout est une fête (trop courte, toujours trop courte!). Car j'imagine qu'il fut un temps dans la vie de Mademoiselle Z où son amour de la vie n'avait pas encore pris la forme de cette coûteuse passion des voyages maintenant si ancrée qu'en se basant seulement sur les apparences on pourrait croire que son séjour sur cette planète fut organisé par une mauvaise agence de voyages inter-sidérale. Pour en finir avec cette interminable parenthèse, disons que je me permettrai des remarques personnelles, d'autant que je suis, moi, son cousin germain, le deuxième personnage de cette histoire.

Mademoiselle Z déteste donc l'hiver. Je dirais même qu'elle l'«ha-ït». C'est ce qui m'aura, je crois, le plus dérouté chez elle. Qu'elle, qui a culte secret pour le soleil et la mer, puisse autant détester la neige et, en général, la nature. Comme si c'était une ennemie personnelle. Oh! bien sûr, elle vous montrera ses diapositives pleines de cactus, de palmiers, d'orchidées (prises dans la cour d'un grand hôtel) et vous commentera longuement un paysage. Mais la nature d'ici...! Comme si elle n'existait pas. Ou quand elle existe, comme si elle n'était pas plus colorée qu'un trottoir. C'est à la suite d'un séjour à la campagne avec elle et sa famille, à leur chalet d'été dans les Laurentides, que l'auteur se sera mis à se questionner sur l'âme de Mademoiselle Z, personne qui met dans sa passion autant de folie et que, pour cette seule raison, il aime profondément, sachant combien il est préférable d'être entouré de gens passionnés que de gens mous, tièdes ou gris.

Elle venait de se faire pîquer par un marmgouin.
«Mets-toi du six-douze...
— Non, ça sent trop mauvais...
— Mets une chemise alors...!
— Non, je veux prendre du soleil...»

Y avait-il vraiment eu maringouin? Dans ce plein soleil d'une heure?

Sur sa chaise longue, elle se morfondait. On aurait dit une orchidée à la chair fragile se fripant sur un iceberg. On était au mois d'août. Il lui avait fallu deux heures de préparatifs avant de se risquer dehors, costumée comme pour un bal martien.

D'une certaine manière, s'il y avait eu maringouin, je le comprenais. Mademoiselle Z a la peau si blanche, si fine et si transparente que ce doit être, pour un maringouin, un pur plaisir que d'y venir pîquer même si c'est son dernier voyage puisque Mademoiselle Z est, à la cannette à bouton-poussoir d'insecticide, une experte.

Elle rentrerait tout à l'heure se «chercher une limonade» et ne reparaîtrait plus de la journée, sauf le soir, en coup de vent, quelques secondes, pour voir le feu de bois préparé par sa soeur et moi, enroulée dans trois couvertures de laine. Elle jetterait un regard furtif à la lune montante et rentrerait presque en courant et en s'enfargeant dans un coin des couvertures. Dans la maison, le soir, frileuse comme une grand-mère, elle se tiendrait toujours près de la fournaise, allumée, même en été, par sa mère, pour écouter de la musique ou pour lire.

D'une certaine façon, donc, pour elle, c'est comme s'il n'y avait pas de nature. Il faut dire que les quarante-neuf semaines de préparatifs pour son prochain voyage, elle les passe toutes en ville. De chez sa mère, elle ne sort que pour se rendre au travail dans les magasins ou un soir à l'occasion. N'essayez pas de lui représenter la beauté d'une forêt de pins, d'un sous-bois de fougères ou d'un champ de verges d'or. Essayez encore moins de lui faire comprendre combien la neige est, en hiver, douce à l'âme.

Une seule fois pendant ces vingt ans, que Mademoiselle Z ne put se payer ses semaines (deux, à l'époque) sous les tropiques. Elle serait, cette année-là, ayant plus ou moins décidé de couvrir pendant sa vie tous les pays «chauds», sinon latins, du monde, partie en Espagne. Une maladie dont je n'ai jamais su le nom (dans son monde, être malade est presque aussi honteux que d'être vieille) l'en empêcha. La maladie de l'amie avec laquelle elle devait partir. Elle faillit mourir à sa place. Est-ce depuis ce temps qu'elle a pris l'hiver en sainte horreur? Je l'ignore. Je serais plus porté à croire que c'est du temps où, à cause d'un père négligent (un «flanc-mou», disait sa mère, quand elle parlait encore de lui), elle souffrit non seulement de la pauvreté mais de la faim et du froid, que date cette haine. Être devenue, à seize ans, chef d'une famille de cinq enfants, l'aura sans doute marquée. Mais ce n'est pas encore tout à fait le temps de voyager dans le passé de Mademoiselle Z. Il nous reste encore un tour à faire du côté de la géographie.

Il y a bien quelques endroits qui échappent à l'allergie pour ce pays de Mademoiselle Z, ces endroits qui lui rappellent les pays de ses voyages (à moins que ce ne soit eux qui, il y a longtemps, sans qu'elle s'en souvienne bien, lui ont donné ce goût si fort de tout-ce-qui-vient-du-Sud): les clubs. Quelques clubs. Espagnols? Non, ils sont trop sérieux. Italiens? Non, ils sont trop dangereux. Mexicains? Oui, mais surtout sud-américains. C'est là qu'on pourrait dire qu'elle mène son «autre vie», sa vie de fleur de nuit. En vain sa famille aura-t-elle tenté, quand elle passait de longues périodes creuses, c'est-à-dire sans «ami», de la pousser hors des sentiers par elle battus et tapés si dur que souvent pas une seule fleur sauvage ne pourrait y pousser. Quelle «honte» pour elle d'avoir à se présenter seule à une fête de famille. On se demande de quoi elle parle quand elle dit qu'elle fait attention à sa «réputation».

«Pourquoi ne prends-tu pas des cours?»

Des cours du soir, elle en aura pris. D'italien, d'espagnol et même de portugais. Elle aura même failli, songeant à un moment à changer complètement de vie et peut-être à aller travailler à l'étranger, en prendre de traduction.

«Pourquoi n'essaies-tu pas de nouveaux endroits?»

Elle en aura essayés mais en revenant si frustrée chaque fois que personne n'aura plus osé lui en suggérer un seul.

«Pourquoi ne fais-tu pas de l'exercice physique? Du ski, par exemple. Tu pourrais rencontrer des garçons...»

Elle aura fait du judo et du yoga.

Pourquoi? Pourquoi? Pourquoi?

Nulle part où on l'a guidée, elle n'a trouvé d'homme «à son goût». D'hommes tout court, à l'entendre parler.

«À mon âge, je ne suis tout de même pas pour recommencer à sortir dans les salles de danse...»

Dans ses yeux, malgré tout — quatre lettres d'or auront brillé: C.O.A.C. —, en disant ces mots, une étincelle, le dernier grelot d'un rire. Les salles de danse où elle allait avec son frère danser le rock'n'roll, ça, c'était le beau temps. Elle pouvait danser des heures d'affilée, sans se fatiguer, épuisant tous ses cavaliers en quelques minutes chacun. Tous sauf son frère. Ils étaient si bons danseurs que, partout où ils passaient, la foule les entourait pour les regarder, en battant des mains. Ils étaient «populaires». Mais c'était au temps d'Elvis et Mademoiselle Z n'aime pas qu'on s'attarde sur un passé qui tendrait à révéler au monde ses trente-six ans. Et parce que le passé, si elle s'y arrêtait, elle en aurait les bleus pour des semaines. Depuis le temps, deux de ses amies d'école sont mortes, les autres se sont toutes mariées. Heureuses ou malheureuses, qu'importe, mariées. Mariée... Un voile blanc vole, un bouquet tombe du ciel, il neige... Elle a beau se dire qu'elle est libre, qu'elle mène exactement la vie qu'elle veut, n'est-ce pas, d'une certaine manière, plus qu'un amant de passage que, depuis toutes ces années, elle cherche. Un homme... Dans l'ombre des feuilles, un fauve doux... des yeux comme des soleils...

Au soleil, à travers la vitre géante d'une salle d'aérogare, une valise. Une valise sans poignée...

Elle aura eu, pour chacun des hommes d'ici qu'elle aura rencontré, avec qui elle se sera laissée aller à sortir un soir, «pour voir», des mots cruels. Ou le nom d'un légume ou d'un fruit. Tel était un «cocombre», tel, un «beleuet». Les hommes québécois aussi bien qu'anglais y auront passé. Pour elle, un homme, ç'a des cheveux noirs, la peau brune, les yeux perçants et le sang chaud. Depuis Luis Mariano, sa première idole, de combien de chanteurs au nom en «O» se sera-t-elle entichée? Les hommes d'ici, pour ne pas en dire plus, elle les trouve «froids». Ah! si les choses avaient été autrement, si elle avait pu choisir, elle, l'homme de sa vie... sans doute aujourd'hui serait-elle mariée. Mais la perspective de la retraite où elle touchera les deux tiers de son salaire «jusqu'à la fin de ses jours» — plus que douze ans à attendre — vient tout effacer, regrets et déceptions. Car le portrait de Mademoiselle Z (qui est demeurée si enfant que je me suis souvent demandé d'où aurait pu lui venir le goût d'en faire un) serait incomplet sans les déceptions qu'elle a, dans sa vie, connues.

Celle surtout de ne pas avoir eu, à l'âge où elle en aurait eu le plus besoin, un père. Non que je me glorifie d'en avoir eu un. Mais, avant de pouvoir rejeter ses parents, comme parents, non comme personnes, encore faut-il en avoir eus.

Je la revois, partant à l'école, au temps où ma famille était encore voisine de la sienne, dans cette petite rue de l'est de la ville. En souliers, au mois de novembre, à l'heure où le ciel est encore entre noir et gris, ses longs bas d'écolière «drabes» troués, une jupe noire épaisse trop courte pour elle (ce qui la faisait siffler par les gars), à la main le petit sac dans lequel elle apportait son lunch, un châle à fleurs sur la tête et couverte de trois vieux chandails à boutons percés jusqu'au coude à l'un des bras. Je n'allais pas encore à l'école à cette époque mais, très souvent, le matin, quand elle passait, je lui faisais, par la baie vitrée du salon, bonjour de la main. C'était alors pour elle et ses frères et soeurs, le temps de la petite misère, sa mère étant, comme je l'ai dit plus haut, malade, et son père, toujours absent. Quand il venait les voir, c'était, pour ainsi dire, comme pour leur faire plus de misère encore ou, par cette violence cynique que donne l'alcool, comme pour rire d'eux. Ma mère, soeur du père de Mademoiselle Z, espérait bien ramener un jour à la raison son frère qui, depuis quelques années, s'étant mis en tête de faire un gros coup d'argent, s'était lancé, comme elle disait, dans «les femmes et la contrebande». Est-ce la haine de cet homme qui ne l'aura jamais regardée qu'avec mépris — comme l'incarnation d'une de ses erreurs de jeunesse — qui amena Mademoiselle Z à voir un peu son père dans tous les hommes d'ici? Ou l'échec du mariage de ses parents? Ou un certain sentiment de reproche, doublé de pitié, contre cette mère qui, par amour, s'était comme soumise à un homme aussi veule? Ou serait-ce le fait de se retrouver, un soir d'hiver, seule, une fois les enfants couchés et son frère aîné «parti sur une brosse» avec ses amis de la ruelle, à travailler son «français» et soudain, entendre à la radio, la voix chaude et irrésistible de Luis Mariano? Ce, à l'âge où l'on se fait sa première «queue de cheval», où l'on se met du rouge aux lèvres pour la première fois et où, sous le chandail ou la blouse, les seins, comme des bourgeons, commencent à percer. Ou serait-ce le fait, que, pour se sortir de ce milieu où elle n'aurait pu finir que comme serveuse ou monteuse à la chaîne dans une usine, elle dut se donner une dignité par une raison de vivre plus forte que la vie elle-même ou un idéal aussi naïf que celui d'un homme beau, à sang chaud, à la «voix de velours».

«Je me souviendrai d'Acapulco
Et j'entendrai comme un écho
Cette musique...»

La porte sonnait. Elle allait répondre en courant. Elle ouvrait. Dans une lumière rayonnante, il était là, tout habillé de blanc, comme elle l'avait imaginé à la radio. Il venait la chercher, la sortir de sa noirceur.

«Mais je suis si mal habillée... si laide...

— Que m'importe, mi amor, puisque je sais que tu m'espérais et que tu crois en moi...»

Mais non, c'était un ami de son père qui, voyant que ce dernier n'était pas là, l'aurait sans doute, si elle l'avait laissé faire, «tassée dans un coin». Comme c'était déjà arrivé avec un oncle aux pattes velues et puant d'alcool.

L'espoir... Y a-t-il un seul espoir ridicule, même le plus fou?
Croire... Y a-t-il une seule foi idiote?

Combien de gens aurai-je rencontrés dans ma vie — des esprits «forts» — qui se croyaient au-dessus des choses simplement parce qu'ils n'avaient jamais fait face, sauf à travers les autres, à aucune. On peut ne vivre que par l'esprit. Mais à condition que jamais l'esprit ne perde contact avec une réalité donnant forcément, à un moment ou à un autre, sur les autres.

Mademoiselle Z n'avait personne à qui se confier. Et puis, elle avait sa fierté. Une religieuse de l'école lui avait dit que ce ne serait qu'avec des études qu'elle pourrait «réussir dans la vie». Son père était allé jusqu'à essayer de la forcer à abandonner ses cours pour qu'elle se trouve un travail. Mademoiselle Z, jusqu'alors douce et docile, et rêveuse comme le sont toutes les jeunes filles de seize ans, avait vu rouge. Non, sa vie ne finirait pas comme ça, elle ne se résignerait pas à ce sort idiot décidé d'avance pour elle. Tant pis si elle avait faim, froid et soif. Tant pis si elle oubliait un jour qu'on devient ce contre quoi on se bat, ce dont on a le plus peur. Un jour...

On ne dira jamais assez l'importance des images peuplant l'imagination, au temps des premiers désirs sexuels, au temps du premier choix d'un partenaire imaginaire, au temps aussi bien de la définition d'un soi sexuel dont l'«autre» n'est d'abord que le double et comme le miroir. Images devant, même en se complexifiant au cours des ans — parfois jusqu'à se dissoudre dans un soi plus vaste, collectif —, continuer à accompagner cette personne toute sa vie durant. Leur perte, si elles ne sont pas vécues jusqu'au bout et comme transvasées dans le réel, entraîne presque automatiquement une atomisation du moi sexuel (du moi tout court aussi bien), telle que la vie sexuelle elle-même tendrait à s'atomiser; soit dans la dispersion intérieure, dans l'impuissance ou la schizophrénie, soit dans la dispersion extérieure, dans la nymphomanie et la stérilité. Mademoiselle Z devait avoir beaucoup d'imagination pour vivre encore, à trente-six ans, des images de son adolescence. D'une certaine manière, ne trouvant auprès d'elle, à un moment crucial de sa vie (aussi crucial que, pour un enfant, le sont des moments de constitution de sa mémoire), ni père, ni mère, ni personne sauf des enfants plus jeunes qu'elle, Mademoiselle Z deviendrait un ange. Un ange qui s'envole encore aujourd'hui pour ses trois semaines de vacances annuelles dans son «autre vie», loin de la «vallée de larmes» du quotidien. Malgré ce qu'il lui en coûte pour maintenir ces images «en place» au ciel de sa mémoire, peut-on reprocher à Mademoiselle Z de leur être restée fidèle et fidèle à elle-même. Peut-on lui reprocher d'avoir eu, elle qui, au départ, était douée d'une nature hypernerveuse et sensible, trop d'imagination ou plus simplement, elle pour qui le mot «indépendance» est synonyme de liberté, d'avoir, et ce, aujourd'hui encore, manqué de confiance en ses semblables. Les «bonnes âmes» qui l'auront approchée à l'époque et, même ma mère, auront voulu l'«aider, c'est-à-dire se donner, en lui jetant des miettes, bonne conscience, par une souffrance qui n'était peut-être que celle de la solitude au moment où elle commençait à peine à se définir par rapport aux autres, à s'ouvrir au monde. C'est dans l'«autre», un autre toujours vu comme étranger (un être-ange) qu'elle aura tout misé. Et c'est peut-être la plus grande contradiction de la vie de Mademoiselle Z que l'«autre» doive, pour qu'elle puisse l'espérer, le désirer, croire en lui, demeurer éternellement loin d'elle, ne jamais, au grand jamais, sombrer avec elle dans un quotidien non seulement difficile mais plat et exposant, tôt ou tard, l'amour aux pires vicissitudes. L'amour... Celui qu'elle croit encore, à l'image des amants qu'elle aura eus et perdus — peut-être parce que, dans sa soif de perfection cherchant à ajuster le réel à son rêve, à le fixer, elle les aura trop menés par le bout du nez —, une aventure idéale et, par l'illusion d'un non-temps sécrété par la seule distance, éternelle.

Où tout se complique, c'est quand on se rend compte que c'est peut-être à cause du froid et de la faim que Mademoiselle Z eut la chance unique d'avoir à s'inventer une façon bien à elle, rien qu'à elle, de vivre. (Car même si l'insécurité chronique de Mademoiselle Z joue encore un rôle déterminant dans l'organisation de sa vie, elle me paraît s'être créé un univers original où elle a su garder ce que trop de gens, au sortir de l'adolescence, s'empressent de rejeter: la poésie. Si son sens de la poésie s'est nourri à des sources lointaines, c'est peut-être qu'à l'époque où elle le découvrait en elle nous allions tous encore, en ce pays, nous inspirer ailleurs.) Comme j'ai souvent regretté de ne pas avoir connu, dans mon enfance, un vrai froid, une faim réelle, bercé, enfant mou, surchauffé et boutonneux, entre un père prosaïque et une mère silencieuse. Comme je comprendrais, quand je romprais avec ma famille —ce, à vingt-trois ans — combien nos premières peurs sont précieuses. Ceci dit non pas masochisme ou fatalisme ou entropie mais bien parce qu'elles sont comme des chances qui nous sont données individuellement de trouver, à travers les autres, au-delà du faux consensus poli de l'idéal chrétien trop entendu d'avance et, tristement, désormais vide de sens pour la majorité, une confiance réelle. Une confiance qui nous permet plus tard d'établir un code de vie qui ne tienne pas compte de données sociales actuelles aussi idiotes que celles posant qu'une femme est vieille à trente-cinq ans, qu'on est laid parce qu'on est malade ou qu'on est né pour un petit pain. Lui a-t-on jamais dit qu'à l'âge où elle prendra sa retraite l'argent ne vaudra peut-être plus rien? C'est peut-être ce pas contre les autres — et pourtant vers eux — que Mademoiselle Z n'a jamais osé, vivant pourtant dans sa vie une situation marginale qu'elle croit sans issue. Mais n'est-ce pas une fois seulement qu'on s'est su seul, biologiquement autant que cosmiquement, qu'on peut revenir vers les autres hors de toute dépendance, et choisir librement de les haïr ou de les aimer, de les prendre, en tout cas, comme ils sont! Combien de fois me suis-je demandé si Mademoiselle Z n'avait pas horreur de l'hiver tout simplement par peur d'un silence à l'âme si bien incarné par la neige. Et si tout ce bruit, toutes ces illusions dont elle s'entoure ne visaient pas à recouvrir une voix enfantine sauvage dont, plus elle vieillit, plus elle a peur. Voix qui, de toute manière, un jour ou l'autre, finira bien par la rattraper puisque c'est, au début de la vie, comme dans sa fin — et nul de nous n'y échappe —, la même.

On pourra dire de mon personnage que c'est l'image même du colonisé. Il arrive bien aujourd'hui à la nature de ce pays tout ce qui arriva à ce qu'il y avait de naturel, de sauvage, de vierge en Mademoiselle Z. Mais qui le dira? Qui n'est pas, en ces temps, la «colonie» de quelqu'un d'autre, ne serait-ce que la personne avec qui l'on a pu choisir de vivre? J'écoute mon pays qui parle d'indépendance. Il me fait parfois penser à Mademoiselle Z. Comme Mademoiselle Z me fait penser à bien des gens de ce pays. Et pourquoi pas à moi posant comme idéal, l'amour du Nord, ce Nord qui est la seule essence propre à ce pays et pouvant nous différencier de nos voisins du Sud. Idéal pour idéal...! Tant que nous n'aurons pas compris que ce n'est qu'à travers un idéal collectif que nous nous en sortirons...

Au moment où j'écris ces lignes, Mademoiselle Z se prélasse sur une plage du Brésil. À moins qu'elle n'ait déjà rencontré le grand amour de sa vie. Pendant ce temps, au nord, on coupe des millions d'arbres, on parque les Indiens dans des réserves, on abat des troupeaux entiers de caribous qu'on laisse ensuite pourrir sur place.

Et j'en veux à toutes les Mademoiselle Z de ce pays (comme Mademoiselle Z m'en voudra peut-être d'avoir parlé d'elle, alors même que son problème en est un de représentation). Parce que, tandis qu'elles partent aux quatorze soleils, elles laissent s'éteindre le soleil de ce pays-ci.

«Une valise sans poignée... C'est comme une valise sans poignée...» me répondit un ami à qui je disais combien Mademoiselle Z me faisait penser au Québec.

Si seulement Mademoiselle Z pouvait comprendre un jour que la valise qu'elle traîne avec elle depuis vingt ans, de pays en pays, de lit en lit, n'est pleine que d'elle-même!

Si ce n'est pas amour

IL avait reçu pour ses vingt-neuf ans une bouteille de crème de café en cadeau. Comme, ce soir-là, la maison était pleine de monde — tous et «toutes» ses amis étant venus le fêter —, il avait préféré la mettre de côté pour plus tard, pour une «occasion spéciale». L'occasion spéciale, c'était ce soir où, ayant des bleus épouvantables, il avait décidé de l'ouvrir. Il la buvait lentement, en savourant à fond chaque gorgée, un peu comme il aurait savouré les derniers instants de sa vie. Puisqu'àprès la jeunesse il semblait bien que la vie...

Depuis une semaine, jour pour jour, ni la sonnerie du téléphone ni celle de la porte d'entrée n'avaient retenti. Peut-être fallait-il accuser le froid noir de l'hiver... Hier, il avait fait trente sous zéro.

«Comme il fait sous zéro dans mon coeur, ce soir...»

Peut-être ne lui avait-on pas encore pardonné les méchancetés qu'il s'était permises, le soir de sa fête...

Ses yeux rencontrèrent la pile de vaisselle qui, depuis trois jours, s'entassait... Ça pouvait attendre...

Depuis quelques mois, il le sentait, sa jeunesse prenait le bord. Ou plutôt, les mensonges qui en avaient jusque-là maintenu l'illusion aux yeux des autres commençaient à s'effriter. Il n'y avait rien à faire pour les retenir. Ils pouvaient aller au diable, l'un après l'autre, jusqu'au dernier.

Comme ils étaient venus. Il ne lui restait plus rien à perdre.

«Que ma vie...»

Cette vie qu'il lui arrivait de voir comme un petit animal traqué par des chasseurs, aux yeux fous de peur, cherchant mais pas assez vite à se gratter une cachette sous la terre...

La veille, il avait trouvé un cheveu gris dans la chevelure noire dont il était si fier et qui l'avait toujours si bien servi. Et puis, comme il avait «calé», ces derniers mois. Ce, malgré tous les soins apportés, shampoings à la moëlle de boeuf ou à l'huile de vison, infusions d'herbes, toniques.

«Y'a pas à dire, le temps, ça magane...»

Il faut dire qu'il s'était bien «garroché», ces dernières années. Même s'il n'était entré dans la ronde qu'à vingt et un ans. Aujourd'hui, c'était à quatorze ans, sinon à douze, qu'ils commençaient. A peu près vers le même âge où ils se lançaient dans les drogues ou l'alcool, ou les deux. Il est vrai qu'ils n'avaient pas à se débarrasser de l'influence des parents ou du «collège classique», comme lui et ceux de sa génération avaient eu à le faire. Qu'est-ce qu'ils pouvaient bien chercher? Probablement la même chose que lui. Un peu d'amour... un peu de bonheur...

Il revoyait l'air vénérable du bon, du brave abbé venu prêcher une retraite au collège et le prenant sur ses genoux... Il l'appelait son «rayon de soleil», son «petit bonheur»... Et lui qui s'abandonnait, croyant avoir enfin trouvé un père...

«Mais tout ceci doit rester entre nous, Jean-Claude...»

Il y avait aussi, dans ses bleus de ce soir, le souvenir de l'affreuse aventure qui lui était récemment arrivée. La dernière en liste. De quoi vous donner le goût de ne plus jamais en avoir. Il avait emmené ce jeune adolescent chez lui. Un Américain. Il l'avait ramassé dans un bar du centre-ville, où tous ceux qui y sont savent bien ce qu'ils y cherchent. Au matin, il avait découvert que celui-ci lui avait volé son portefeuille. Il l'avait compris, une intuition, en ouvrant les yeux, en ne voyant plus auprès de lui le garçon. C'était la première fois que ça lui arrivait. Il y avait dans ce vol comme un signe.

«Changer de vie... Complètement... Pendant qu'il en est encore temps... Me faire moine ou bandit... Voleur de grands chemins... Ou «straigth»? Pourquoi pas?»

«Pour toi, je me ferai jongleur, acrobate, mime...»

Au moins, s'il le lui avait dit qu'il avait besoin d'argent. Il lui en aurait donné, peut-être plus que ce qu'il y avait dans le portefeuille, sept ou huit dollars tout au plus. Sans rien lui demander en retour. Sauf, peut-être, de l'accompagner dans un bar ou chez ses amis, pour avoir la joie de s'afficher avec lui, pour montrer à tous les autres qu'il était encore capable de «pogner». Ce qu'il lui aurait demandé, de toute manière...

«On sait bien, tu les payes...

— Toé, la Robert, tais-toé, on l'sait ben où c'que t'es trouves, tes p'tits vieux...»

Le soir de sa fête... Costumé en star américaine des années trente... Tout en rose... De la perruque aux souliers lamés... Il avait d'abord songé à s'habiller en berger grec... Il s'était, en plus de dire à tous et à chacun leurs quatre vérités, payé le luxe d'éclabousser tout le monde de cire chaude en soufflant les chandelles de son gâteau...

«Et vingt-neuf chandelles, ça en fait de la cire...»

Un magnifique gâteau blanc préparé par Christine... Robert,» sa meilleure ennemie», qui avait emprunté une robe de soirée à sa mère, l'avait mal pris... Une bagarre avait même failli éclater... Tout s'était achevé dans une guerre de mots.

Désormais, entre lui et les «jeunes» — puisque c'est ainsi qu'il fallait commencer à les appeler —, il y aurait la distance d'un portefeuille. La distance de ce petit doute qui suffit à gâcher tout le reste. Lui faudrait-il désormais mettre ses amants nouveaux à la porte aussitôt obtenu d'eux ce qu'il en désirait... Le plus ennuyeux, c'était qu'en lui prenant son argent le garçon — un beau blond aux yeux bleus de dix-neuf ans, un peu insignifiant, trop beau pour avoir quelque chose à dire — avait emporté tous ses papiers. Il avait fallu téléphoner pour faire annuler la carte de crédit.

«D'une certaine manière, il m'en débarasse...»

Se trouvaient aussi, dans un pli du portefeuille, quelques numéros de téléphone importants. Et une photo de lui et de Pierre...

«Where do you come from?

— New York...»

«Le petit chr... Si jamais je le revois...»

Il s'imaginait lui bourrant la face de coups de poing. Le jeune saignait du nez. De sa lèvre inférieure fendue, une goutte de sang perlait. Sa veste en denim bleu se tachait. Il n'avait plus cet air indifférent, désabusé, qui faisait la moitié de son charme. Il avait peur, il tremblait. Il en était laid.

«Comme ils le seront, et sans doute trois fois plus, à mon âge...»

«À mon âge»... Une expression à laquelle il n'avait jamais cru. Comme il n'aurait jamais cru qu'avec le temps, au lieu de s'effacer doucement, tout refait surface. Tout, jusqu'au moindre détail.

«Mais non, ce n'est que parce que je suis gris que je vois les choses ainsi...»

Il savait trop bien ce qui lui arriverait, s'il revoyait le jeune garçon.

«Comment s'appelait-il déjà? Ah! oui, Gary...»

Il n'oserait rien. Il lui trouverait des excuses. C'était un monde si barbare que celui des clubs et des tavernes, que celui du monde tout court. Un monde où c'était encore le plus fort, le plus malin ou le plus gros qui gagnait.

Et si, pour une fois, pour voir ce qui pouvait arriver, il ne lui trouvait pas d'excuses, à ce monde. Ni au monde, ni à lui-même. Des excuses... Il en avait toujours trouvé, à tout le monde, toute sa vie durant. Il en avait trouvé à son père d'être médiocre. Comme si ça pouvait être une vie que de se rendre, tous les matins, pendant vingt-cinq ans, à son bureau. Il en avait trouvé à ses professeurs successifs qui ne lui avaient rien appris de vraiment utile. Ce qu'il savait, c'était la rue qui le lui avait enseigné. Un «cours classique»... Quelle farce! Il en avait même trouvé à son amant de l'abandonner, après trois ans de vie commune.

«Ce doit être mon «karma», comme dit Paul.

Paul, un de ses meilleurs amis. Un des plus chers. Qui, après avoir été coiffeur pendant cinq ans, jusqu'à en avoir envie d'assassiner ses clientes à coups de fer à friser, était parti aux Indes et en était revenu «mystique», ne mangeait plus de viande et parlait d'amour avec les mots d'un enfant.

Vois-tu, Jean-Claude, depuis mon voyage, c'est comme si j'étais entré dans une deuxième enfance...»

Ce sourire qui l'illuminait... Robert ne pouvait le souffrir. Il l'appelait «la folle mystique». Mais Robert avait toujours eu peur de son ombre...

Paul, un de ses rares amis avec qui il n'avait pas couché. Même si, en général, il n'avait couché qu'une fois avec ses amis d'aujourd'hui. C'était comme ça. Ou bien le désir de l'autre tournait court, ou bien il se transformait en amitié.

«Pour toi, mon bel amour, je me ferai jongleur, acrobate, mime. Je serai ton fou, ton ami, ta maman, ton papa, ton ange, ton démon, ton enfant, ton frère, ta soeur, ta femme, ton mari, ta fiancée...»

Ce qu'il écrivait à Pierre, au début de leur histoire, juste avant qu'ils ne décident d'aller vivre ensemble à la campagne. Trois ans d'un grand bonheur... Comme un grand soleil dans sa vie... Des jours, des nuits, des jours, des nuits et des jours encore... Une vie par jour, un jour par seconde, entre lunes et soleils... Le temps fondu dans l'espace... De vrais problèmes... Et puis l'arrivée de ce jeune homme qui avait tout saboté. Et puis, plus rien. Le vide. La nuit. L'hiver arrivé avant le temps. L'hiver en plein mois d'août.

Ils avaient une vache, quatre chèvres, des poules... Ils vivaient de leurs revenus, indépendants, libres, ne devant rien à personne. Les gens du coin où ils s'étaient établis les acceptaient. À la campagne, pourvu que vous vous mêliez de vos affaires et que vous ne provoquiez personne, on ne vous pose pas de questions. Et puis, les gens qui s'aiment, qui peut seulement les atteindre? Les fins de semaine, les amis montaient de la ville. Ils se retrouvaient parfois douze à table. Le vin coulait. Partout, des fleurs, des fruits... Aujourd'hui, rien que du gris. Celui du ciel, celui des rues...

Trois ans...

Il avait tout laissé derrière lui. Il n'en pouvait plus de voir ce «plus» jeune, ce «plus» beau, lui voler lentement sa place, jour après jour... Il avait usé sa patience jusqu'à la corde. Il n'y avait rien à faire, rien à dire. Pierre savait tout de lui. Il ne lui aurait rien appris en lui disant que, sans lui, ce serait comme mourir.

«Sans cris, sans scènes, sans larmes...»

Un matin, tandis qu' «ils» dormaient encore, il avait fait sa valise et était parti. Il n'y était jamais retourné. Même pas pour aller chercher les choses qu'il avait pu oublier.

Il s'en était trouvé, même s'il n'en avait parlé qu'à Christine, son «amie de fille», pour donner le nom de fou à cet amour. Savaient-ils seulement de quoi ils parlaient? Avaient-ils seulement déjà vécu avec une personne, à partager avec elle leurs joies, leurs chagrins, leurs désirs, leurs rêves, leurs projets et tout ce qui s'appelle la vie quotidienne, intime, animale d'un être... Jusqu'à ne plus former qu'un seul corps, une même âme avec elle... Jusqu'au bord de ce qui s'appelle la solitude physique... L'infranchissable... L'innommable... Il le savait bien lui, aujourd'hui que, lorsqu'un ami ou une amie vous confie une déception d'amour, on ne peut que l'écouter en silence, le plus respectueusement possible. Il s'en était même trouvé pour dire que ce qu'il avait vécu avec Pierre, ce n'était pas de l'amour, qu'entre deux hommes...

«Si ce n'était pas de l'amour, alors, qu'est-ce que c'était?»

Tous les arguments que pouvaient invoquer, du haut de

leur morne ennui, tous ces gens sans passion, sans folie... Arguments de la majorité que, dans une longue et ardue remise en question de lui-même, il avait fait siens... Sans qu'ils lui apportent aucune lumière nouvelle... Qu'un seul désir réduisait à zéro.

Il y avait longtemps qu'en lui, la guerre de l'homme et de la femme était morte. L'était-elle vraiment?

Il se pouvait bien, après tout, que son amour fût, au départ, stérile. Mais, à ce compte-là, tous les amours l'étaient. Si le seul fait d'avoir des enfants pouvait justifier une existence, il suffisait de prendre une femme au hasard, n'importe laquelle, de lui sauter dessus, de lui faire un enfant et de s'en aller ensuite, avec le sentiment du devoir accompli. Justifier... Un mot qu'il avait rayé de son vocabulaire. Comme le mot «coupable». On pouvait lui donner tous les noms de la terre. N'avait-il pas été, tour à tour, pour Pierre, tout ce qu'il avait dit qu'il serait...

À zéro...

Il avait fallu vivre. Vivre...? S'accrocher. Un moment, il avait songé à partir en voyage. Dans le sud. N'importe où. Comme il l'avait fait à vingt ans. Il s'était plutôt loué un petit deux-étages dans un quartier de l'est de la ville.

«Là où y'a du «vrai monde»...»

Après un mois complet de «couraillages» dans les bars et les tavernes, il avait commencé à arranger la maison et à y inviter ses amis anciens et nouveaux. Il lui avait fallu faire un effort extraordinaire. Sous chaque geste se cachait l'ombre d'un geste déjà partagé. L'immobilité seule lui apportait la paix. L'immobilité mais pas le silence. La radio restait ouverte jour et nuit. Le silence était une lame.

«Pierre, Pierre, Pierre...»

Il se réveillait en sursaut, croyant qu'il allait retrouver le corps aimé. La main aux ongles noircis de bonne terre. La lèvre salée... Le bleu du matin n'avait plus de tendresse. Ce n'était qu'un petit bleu glacé.

«Pierre...»

À quoi bon l'appeler? À quoi bon se rappeler? À quoi bon se révolter?

«Encore un verre de ce merveilleux petit kalhua et le gars va faire la vaisselle, changer la litière du chat — où peut-il être, celui-là? —, puis va aller faire dodo... Henri travaille demain matin...»

Une phrase de Clémence. Dont le dernier disque l'avait fait pleurer. Lui qui pleurait de moins en moins.

Il s'alluma une cigarette, laissa brûler l'allumette entre ses doigts... Le feu le ramena à sa rêverie...

Se révolter... Contre quoi? Contre qui?

Contre un «système» qui, d'une manière ou d'une autre, allait, d'ici quelques années, s'écrouler? S'écrouler ou changer. Par la force des choses.

«Aurais-tu peur?

— Ffuittt!»

«Je me suis bien révolté, moi, une fois, il y a longtemps... Et qu'est-ce que ç'a changé, à part de me sentir un peu mieux dans ma peau... Pas grand-chose... Ma révolte était trop individuelle, pas assez à la mode...

— Tu ne comprends pas...

— C'est toi qui ne comprends pas qu'on est trois milliards d'habitants sur la terre... Un de plus, un de moins...»

Avec ce jeune étudiant, tout gêné de son corps, dans la cuisine, à quatre heures du matin. Un qui «s'acceptait» mal et donnait à sa peur tous les noms sauf le bon.

«Tu sais, Karl Marx...

— Quoi, Karl Marx?

— On a retrouvé des lettres récemment...

— Et...

— Et il en était...

— Non!

— Oui.

— N'était-il pas marié?

— Il l'aurait été que ça aurait changé quoi?»

Il aurait pu nommer n'importe qui — procédé fréquemment employé par les homosexuels — que l'étudiant aurait autant écarquillé les yeux.

«En être»... Il sourit. Vraiment, il y avait de ces expressions... Comme «à mon âge», comme «à chaque jour que Dieu fait», comme «laisser venir»... Et pourquoi pas «avec l'expérience que j'ai»...?

Se révolter... Sa révolte à lui, si c'en était une, avait consisté à laisser tomber ses études, à dire à toute sa famille — pour ce qu'il en restait — qu'il aimait les garçons et à commencer à fréquenter les endroits «gay» de la ville. Il avait vingt ans. À la suite de quoi, après un voyage de quelques mois aux États-Unis, il s'était trouvé un travail et loué une chambre. C'est de ce temps que datait la brouille avec son père. Il le revoyait rougissant et se gonflant d'indignation puis courant se réfugier dans sa chambre à coucher comme il le faisait chaque fois que sa mère élevait un peu la voix contre lui. Pour ce qui est du reste de la famille, sa mère y compris, l'indifférence avait succédé à la surprise. L'oubli à l'indifférence.

«C'est ta vie, t'en fais ce que tu veux...»

On le considérait un peu comme le «cas» de la famille. Lui aurait plutôt eu tendance à se voir comme le bourgeon terminal d'une race en voie d'extinction. De quoi donner à sa vie tout le drame nécessaire.

«Car c'est bien ce qui manque à ma vie, ce soir... Du drame, du mystère, du... du je ne sais pas quoi, moi... Quelque chose d'inattendu...»

Le ciel gris s'entrouvait... Zoup! Un bel ange en descendait sur un char de feu et le prenait à son bord... Ils disparaissaient tous les deux.

«Bye! Bye!»

Un rêve d'enfant... Plusieurs fois revenu... Chaque fois qu'il s'était senti «de trop»...

«Messieurs les extra-terrestres, si vous existez, venez vite me chercher... J'suis tanné d'attendre...»

Vroummmmmm! Des «folleries» pour passer le temps... Tuer le temps.

Seul son frère, de trois ans son aîné, essayait encore de le convaincre de la beauté des femmes, de leur charme. De leur beauté, de leur charme, comme de leur souvente méchanceté, il n'avait jamais douté, pas une seconde de sa vie...

«Que veux-tu, quand on est plus femme qu'une femme...»

Ce qu'il avait dit un jour, par boutade, à une petite fille de dix-huit ans qui s'acharnait à lui faire des avances. Elle le trouvait beau. Ce qui n'était pas sans lui faire un petit velours. Mais il n'y avait rien à faire. Ni avec elle, ni avec d'autres.

Les femmes... Des femmes... Il y en avait bien eu quelques-unes dans sa vie.

«Aurais-tu peur?

— De quoi?

— De moi?»

Il avait même déjà essayé d'en aimer une. Elle s'appelait Michèle. Une Française. Elle avait quelque chose d'un petit garçon agressif et têtu.

Mais on n'essaye pas d'aimer. On aime ou on n'aime pas.

Il n'y avait jamais eu le déclic. Comme celui qu'il avait pu y avoir entre Pierre et lui. Comme celui qu'il y avait chaque fois qu'il rencontrait un garçon ou un homme qui lui plaisait. Physiquement, ça ne marchait pas. Longtemps, il s'était demandé si, du fait d'avoir passé toute sa puberté entouré uniquement d'hommes, son homosexualité n'en était pas une de «circonstances», comme celle que pouvaient vivre les prisonniers. Jusqu'à découvrir, après avoir creusé jusqu'au moindre recoin de son enfance et de son adolescence, que non. À moins que ce ne fut le monde entier qui était une circonstance ou une prison.

«Mais qu'est-ce que j'ai à me prendre au sérieux comme ça, ce soir. D'habitude, j'ai l'ivresse joyeuse. Même quand je bois seul...»

La bouteille de crème de café était à demi-vide.

«Ou à moitié pleine... Et si je la finissais, si je n'allais pas travailler demain... Si je me déclarais malade...»

Un jeu auquel il jouait quand il était petit.

Sa mère s'y laissait toujours prendre.

«Chut! Ne faites pas de bruit... Jean-Claude est malade...»

Les pas de ses frères et de ses soeurs s'étouffaient dans le corridor.

Ils partaient pour l'école.

Quelle joie de passer toute la journée, seul, dans le grand lit à courtepointe de la chambre de ses parents.

«Quand ils avaient encore la même chambre...»

Il s'abandonnait à sa rêverie.

Un jour, il avait aperçu, par une fenêtre de la maison voisine, un petit garçon à l'air triste, aux yeux cernés et maigres. Une longue mèche de cheveux blonds lui descendait sur le front. Le vert de ses yeux...!

Le soir, redevenu bien — vers cinq heures et demie, heure de son programme de télévision favori, il était toujours guéri —, il avait questionné sa mère. Elle n'était pas sûre que ce fût lui mais elle savait que dans la maison voisine vivait un petit garçon condamné par les médecins.

De ce jour, il n'avait plus jamais été malade. Qui sait, à force de jouer, peut-être un jour finirait-il par être pris à son jeu...

«C'est comme si j'étais entré dans ma deuxième enfance...»

Les mots de Paul lui revenaient.

Et si c'était lui qui avait raison? Mais Paul était-il vraiment heureux? Heureux, il ne pouvait pas dire ne pas l'être. Même après avoir perdu cet amour qu'il ne retrouverait peut-être plus jamais dans sa vie.

«À chacun son chemin...»

C'était la seule vérité.

La vérité — la simple et plate vérité —, c'était qu'il en avait assez de ce travail d'aide-imprimeur, même s'il était bien payé. Pas du travail comme tel — il aimait travailler —, mais de son patron qui n'arrêtait pas de le surveiller dans tout ce qu'il faisait. Comme s'il n'avait pas confiance en lui. Ou quoi...?

Malade...

Non, il ne fallait pas commencer à jouer ce petit jeu. Dans quelques semaines, ce serait le printemps. Ayant mis suffisamment d'argent de côté, peut-être pourrait-il alors songer à un changement dans sa vie. À moins que d'ici là... Car, depuis quelques années, depuis qu'il «laissait venir», il n'avait jamais eu à se demander quelle direction prendre. Toujours quelque chose s'offrait. Tout arrivait à temps, sans qu'il ait à intervenir. Il n'y avait pas d'autre magie que celle-là.

«Pour un gars «de mon âge», en tout cas, je suis pas mal libre... Libre et disponible... Expérience non requise...»

Il sourit.

Le printemps s'en venait.

«Mon trentième printemps...»

Avec lui se dissoudrait tout le noir de l'hiver. Et celui de la mémoire.

Le chat entrait dans la cuisine. En même temps, le téléphone se mettait à sonner.

«Bonsoir...

C'était Christine.

— Comment si je sors demain soir...? Bien sûr que je sors. Un mercredi soir!»

Un bleu éblouissant

MAINTENANT... maintenant, oui, je me rappelle. De tout, ou sinon de tout, de beaucoup. De l'heure qu'il était — à peu près cinq heures de l'après-midi —, du temps qu'il faisait — le jour avait été d'un bleu éblouissant —, de ses airs, de tout ce qui n'a pas été dit entre nous, qui aurait dû l'être. À cause de cet impossible dialogue poursuivi depuis entre elle et moi, elle, devenue une part de moi — et ce petit bout de femme dont je ne sais presque rien —, et moi, une moitié d'elle. À cause de cette folie, comme une longue peur de vivre, une perpétuelle hésitation qui m'habite toujours. À cause...

Bien sûr, il manque, ici et là, quelques petits détails. Oh! rien que des petits détails de rien du tout, mais qui pourraient encore, avant la fin de l'histoire, bouleverser l'ordre dans lequel ces choses sont arrivées. Ou plutôt, cette chose qui est arrivée, l'après-midi de ce jour-là, insignifiante sur le moment, mais qui m'aura, comme un poison lent et subtil, envahi peu à peu, jusqu'à la moëlle, jusqu'à me forcer, afin de conserver au moins l'illusion d'être libre, à tout retrouver, à tout reconstituer de cet instant. De cet instant où se produisit ce qu'il s'agit pour moi de nommer le mieux possible, si difficile à cerner d'un seul coup, cette «chose» dont je dois me défaire au plus tôt, et à jamais, comme une tiède pitié, une molle honte. Toujours il y aura eu, dans un coin de ma mémoire, cette porte que je pousse et qui donne sur le vide. Toujours?

Je cours, un bouquet de fleurs à la main, poursuivi par un gros bourdon. C'est un beau jour d'été. Je cours. Ou plutôt, ce n'est plus moi qui cours mais mon coeur qui court pour moi. J'ouvre la porte...

Imaginez qu'un soir — un soir comme les autres —, en entrant chez vous, vous mettiez le pied dans le vide!

C'est une manière de dire — exagérée, j'avoue — ce qui, à cause d'elle, parce que j'étais naïf, m'est arrivé. Je suis un jour tombé de haut et j'essaie depuis de me relever. J'essaie de me relever ou, au moins, de me souvenir. Peut-être suffirait-il, en effet, que je me souvienne, pour être sauvé. Peut-être encore me faudra-t-il voir tantôt, dans tout ce qui est arrivé, les jeux d'une force qui la dépassait elle-même...

Tout ce bleu qui m'entoure, m'emporte, m'avale... «Son» bleu.

L'histoire classique du petit garçon «pogné» avec sa maman?

S'il ne s'agissait que de cela!

Il y a plus. Beaucoup plus.

Encore quelques détails, et je saurai. Je saurai, non pas tant comment s'arrête l'histoire —où s'achève la chute— que par où me reprendre, me continuer, puisqu'il semble vrai, en fin de compte, qu'on ne puisse jamais repartir à zéro, mais seulement continuer. Peut-être même cesserai-je d'avoir à me souvenir — à me regarder dans ce miroir noir de la mémoire —, d'avoir à demeurer fidèle «à tout prix» à celui que j'était en ce temps-là, pour me rendre à maintenant, passer enfin à «autre chose». L'eau pure du diamant de l'instant — qui me tint si longtemps au coeur —, c'est peut-être demain que je la retrouverai...

On croira sans doute que je veux parler d'une enfance idéale, d'un autrefois magique et merveilleux où je tente de fuir... Je veux plutôt parler d'un moment dans une vie, où tout est lumière, où le coeur réuni s'ouvre au monde... D'un passage... D'une terre touchée...

Le temps qu'il m'aura fallu perdre, et la patience, avant de pouvoir seulement commencer à situer la source de la folie qui est la mienne, à mettre à jour l'étrange sort qu'elle m'a jeté, cet après-midi-là, sans trop s'en rendre compte. Je dis: sans trop s'en rendre compte, parce que si je devais découvrir qu'elle savait vraiment ce qu'elle faisait ce jour-là, il ne me resterait plus qu'à la haïr. Qu'à continuer de me haïr, en fait — de jouer la comédie, de me disperser —, puisque si, moi, je suis toujours le même, elle a changé, et qu'il vient bien un temps dans une vie où, qu'on le veuille ou non, on se retrouve seul, en face de ce qu'on a maudit ou béni.

Voilà bien le côté le plus insaisissable de l'étrange sort qui me fut jeté, que je ne puisse aujourd'hui l'accuser, elle ou qui que ce soit — et de quoi que ce soit — sans automatiquement m'accuser. Elle qui s'est toujours sentie coupable à mon endroit... Coupable de quoi? Ou, à la place de qui?

Il faut dire que les enfants se sentent souvent coupables même s'il n'y a pas vraiment de crime commis. Ils veulent garder le monde si beau, toujours, qu'ils prendraient sur eux, quand ils commencent à les découvrir, toutes ses violences, toutes ses peurs. Or, je n'ai jamais su, je n'ai jamais pu savoir qui, d'elle ou de moi, fut le plus l'enfant, ce jour-là, à cette minute-là, et se mit d'un seul coup à vieillir, à prendre sur ses épaules un poids qui était celui de quelqu'un d'autre. Elle ou moi? Mais n'ai-je pas toujours été un peu elle, et elle, un peu moi...

Aujourd'hui, quinze mars de l'année soixante et onze, neuf heures et quart du soir, il pleut. Il pourrait, au lieu de pluie, tomber une fine bruine. Il pourrait être huit heures du matin. Ce pourrait être un autre jour d'une autre année. Je pourrais être un autre, et le même pourtant...

J'ouvre les yeux. Près de moi, il y a mon frère qui dort. En haut — c'est un lit à deux étages —, mes soeurs. La petite et la grande. La petite s'appelle...

Je referme les yeux, pour essayer de terminer mon rêve. Il y avait un lapin blanc dedans. Il sonnait à la porte de notre maison en ville. C'est moi qui allais répondre. Il me donnait quelque chose que je serrais précieusement dans la main mais qu'au réveil je n'ai pas retrouvé. C'est trop tard maintenant. J'aurais beau vouloir me rendormir, je sais que je n'y arriverai pas.

Mon frère remue. Je me tourne vers lui. Il dort encore.

Sur la pointe des pieds, je me lève.

Là-bas, par la fenêtre, à travers les bouffées molles de brume — comme quand mon frère fume des barbes de maïs en cachette —, le soleil qui perce. Tout est bleu. L'air, le champ, la canisse trouée rouillée qui n'a pas encore reçu son coup de pied.

Tantôt, tout aura repris sa couleur, son souffle. Tout se sera dissipé, toute la fête nocturne effrayante. N'est-ce pas la nuit que les anges fous se promènent, qui viennent siffler aux vitres, qui guettent les enfants désobéissants aux coins des murs, pour les emporter! Le matin, un oeil exercé pourrait les voir — fuites d'ailes froissées dans l'herbe bleue — qui retournent tous en courant sous la terre.

On trouve parfois des formes qui n'appartiennent à rien. Ce sont peut-être eux — je veux dire, les anges — qui ont oublié de les reprendre...

Tantôt, tout le monde se lèvera. Ce sera le déjeuner. Ma mère l'aura préparé, elle qui veille à tout. Et puis, gardant mes soeurs pour l'aider à la vaisselle, elle nous enverra jouer dehors, mon frère et moi, après les habituelles recommandations. Il préférera partir seul à l'aventure, sans s'encombrer d'un petit frère jamais assez rapide pour lui. Alors, j'irai derrière la maison. Peut-être y trouverai-je encore une chaudière pleine de poissons. Ceux qu'aura pris mon père, de très bonne heure, pendant que nous dormions tous. Les beaux poissons, comme de longues bulles d'argent arrachées au fleuve. Ou noirs et luisants, qu'on appelle «anguilles». Je l'ai bien vu, hier, de la chambre, qui revenait avec ses bottes de caoutchouc rouges. On aurait dit qu'il sortait lui-même de l'eau, dans la brume. Il m'a dit qu'un jour, plus tard, quand je serai grand, il m'emmènera avec lui.

«Qu'est-ce que tu fais?
— Tu vois bien, je démêle mes fils...
— Es-tu allé à la pêche, ce matin?
— Oui.
— Et tu n'as rien pris?
— Non...
— Et ça, qu'est-ce que c'est?
— C'est un verveux.
— C'est pour quoi faire?
— C'est pour prendre des «ménés»...
— Et quand tu retournes à la pêche?
— Je ne sais pas... Est-ce que tu vas poser des questions comme ça toute ta vie?»

Penché au-dessus de l'eau, au bout d'un quai de bois — un de ces longs quais où sont amarrés les bateaux à l'ancre —, «ma» boîte de «pop corn» dans les mains, je regarde. Mais le vent est monté si vite, en un quart d'heure, qu'on ne peut plus rien y voir. Je m'assieds. Je mange mon «pop corn». Pour se débarrasser de moi, mon père m'a donné cinq sous. Un trésor. Pourtant, je suis resté à l'observer encore un temps dans son travail, sans parler. Sans doute aura-t-il jeté là ses fils mêlés dès que je me suis éloigné. C'est ma mère qui les débrouillera. Je l'ai souvent vue le faire. Lui, il n'est pas assez patient. Il s'emporte pour un rien. Une fois, il s'est fâché contre mon frère qui venait de faire un mauvais coup. Avec un couteau volé à la cuisine, il avait terrorisé le fils d'une voisine...

Il fait beau, si beau. Dans le ciel, comme sur l'eau, tout est bleu...
«Tu viens jouer avec nous?
— À quoi vous jouez?
— Au père et à la mère...
— Et moi, qu'est-ce que je vais faire?

— Toi, tu feras l'enfant...
— Bon!»

Ils ont déniché tout ce qu'il fallait. Pour la mère, une vieille «sacoche», une paire de souliers à talons hauts et des bas de nylon — dont nous nous servons aussi pour jouer, en nous en couvrant la tête, au «chinois» —, un chapeau. Pour le père, une cigarette, une vieille montre.

C'est une étrange procession qui s'avance sur le sable. Le soleil est haut déjà.

«Heye! mon mari, quelle heure qu'il est?
— Y'est... y'est trois heures, ma femme.
— Trois heures! Déjà... Sais-tu, mon mari, qu'y faudrait qu'tu m'achètes un nouveau chapeau...
— Pour quoi faire? Y t'va ben, celui qu't'as là...
— J'sais pas. J'l'aime pus...
— Des caprices de femme encore...!

Ils me tiennent par la main.
— En tout cas, c't'enfant-là, y m'donne ben du souci...
— Comment ça?
— La maîtresse, a dit qu'y'aime pas ça, l'école...
— Ah! oui!
— Oui, pis qu'y fait pipi à terre pendant la classe...

Soudain, la «mère» s'aplatit dans le sable. Un talon haut qui s'est tordu. Le «père» et moi nous éclatons de rire en nous sauvant. Bien loin, cachés derrière un chalet, les cris désespérés d'une mère nous parviennent...
— Laissez-moi pas! Laissez-moi pas!
— Tu penses qu'a s'est faite mal...?
— J'sais pas... On va aller voir...»

Quand nous arrivons près d'elle, elle pleure à chaudes larmes, non parce qu'elle s'est fait mal mais parce qu'elle a cru que nous allions l'abandonner.
Mais déjà il est temps d'aller dîner.

Midi. Une cigale chante. Mon père n'y est pas. Nous dînons sans lui. C'est bien la première fois.
Quelque part, quelque chose ne tourne pas rond.

Après m'être lavé les mains, les yeux pleins de petits soleils, je me suis assis à table avec mon frère et mes soeurs. Nous avons attendu un peu puis nous avons commencé à manger. Du poisson. Celui qu'il a pris hier. Mon père. Mon père qui n'y est pas.

Il y a dans l'air comme une hésitation, une absence, un vide...

Ma mère, si gaie d'ordinaire, semble inquiète.

S'il allait ne plus revenir...? Plus jamais...?

Qui sait? Il a peut-être enfin pris le bateau qui le conduira vers la mer... Mais non, puisque son auto n'est plus dans la cour.

Ma mère questionne une dernière fois ma soeur. La grande.

«Tu es sûre qu'il ne t'a rien dit?

— Oui...

— Oui qu'il t'a dit quelque chose ou oui qu'il ne t'a rien dit?

— Oui qu'il ne m'a rien dit...»

Et puis, j'ai erré à travers champs tout l'après-midi...

Et puis, j'ai cueilli des fleurs, pour les lui offrir...

Et puis, un gros bourdon m'a repéré...

Et puis, j'ai couru jusqu'à la maison...

Nous ne nous sommes jamais parlé, elle et moi. Parler, je veux dire «vraiment» parler. J'ai toujours été, je m'en rends compte, un peu à l'affût de la ridicule, mais surtout inutile, «minute de vérité» avec elle. Comme si la vérité pouvait jaillir d'un seul coup, comme ça, dans le tonnerre et les éclairs, du ciel entrouvert... Comme si tout pouvait toujours se dire... Ou plutôt, comme si on devait toujours tout dire... Comme si...

Nous ne nous sommes jamais parlé. Elle est pourtant arrivée, à travers mille façons bien à elle, rien qu'à elle, à me dire tout ce qu'elle a voulu...

«Mon fils, je ne vous dis rien, mais voyez à mon air que je sais que vous allez encore faire une folie...

— Moi, Mère?

— Oui, vous, mon enfant. Ces choses-là, une mère les sent. D'ailleurs, je vous comprends et vous excuse presque. Vous êtes exactement comme votre sans-coeur de père que, pauvre folle que j'étais, j'ai aimé autrefois. J'étais si naïve alors... Je croyais tout ce qu'on me disait. Pourquoi ne l'aurais-je pas cru, lui!

— Parlez-moi un peu de ce temps, Mère...

— Vous parler de ce temps! J'aimerais bien vous en parler mais vous ne pourriez pas comprendre... Il y a des choses qu'à votre âge, quand on est sans «expérience» comme vous l'êtes, on ne peut pas comprendre... Un jour, peut-être... Mais qu'est-ce que je vous disais déjà?

— Que j'étais exactement comme mon père...

— Comme votre sans-coeur de père... ah! oui. Vous n'avez, comme lui — vous avez ça dans le sang (et que peut-on contre son sang?) —, que des plans croches en tête... Comme lui, vous êtes un rêveur. Vos ambitions vous dépassent... Il ne faut pas oublier que c'est le rêve qui conduit au crime...

— Vraiment, Mère?

— Oui, mon fils. Et voulez-vous savoir?

— Oui, Mère, je veux savoir.

— Eh! bien, quand nous vivions ensemble encore, tous, tandis que je me tuais à l'ouvrage — il y a tant à faire dans une maison —, savez-vous ce que votre père faisait?

— Non, Mère...

— Je vais vous le dire! Je vais tout vous dire, puisque vous semblez si anxieux de le découvrir. Eh! bien, au lieu d'aller travailler — il était alors tanneur —, il courait tous les endroits louches de la ville et se tenait avec... avec de mauvais compagnons et des femmes «faciles»...

— Non!

— Oui! Et avec ces mauvais compagnons, il manigançait des coups pendables. Ah! J'ai bien peur pour vous, bien peur, mon fils. Peur que vous ne finissiez en prison, au bout d'une corde, quand vous serez grand...

— Mais, Mère, je suis grand, j'ai vingt-cinq ans...

— Mon fils, vous...

— Mère!

— Qu'y a-t-il, mon fils?
— Je crois que je vais me réveiller...»

Je me suis un jour arrêté dans le temps, à un moment x que j'essaie depuis, mais en vain, de retracer. Je me suis arrêté et je suis tombé. Et je tombe sans fin de la même manière (au début, je me suis affolé, mais on se fait à tout, même tomber). Bien sûr, j'ai continué de grandir. Bien sûr, j'ai changé. Forcément... Mais un regret est resté. «Quelque chose» n'a pas été dit ou fait, quelque part. Une parole a été donnée, qui n'a pas été tenue. Une promesse n'a pas été remplie.

Celle de mon père de m'emmener un jour à la pêche avec lui? De me «montrer»...

Savoir... J'aurais aimé savoir... J'aimerais encore savoir. Non pas tant qui a menti le premier. Ou qui fut le premier le coupable. Ni même quelle main haut placée, tranchant tous les fils d'un seul coup, me lâcha dans le temps... Mais savoir comment appâter un hameçon, comment me servir d'un verveux...

C'est un beau jour d'été. Un jour d'un bleu éblouissant. Un jour presque trop beau. Je cours à perdre haleine. Mon coeur bat très fort. J'arrive. Je pousse la porte...

L'amour est mort dans une cuisine vers cinq heures de l'après-midi. Mon père et ma mère sont debout près d'une fenêtre. Celle-ci se retourne vers moi. Après, plus rien... Un trou...

Un trou, une absence, une tiède pitié, une longue peur de vivre...

Une seule et même chose. Il n'y a qu'un vide. Qu'un silence. Je culbute, la tête la première, dans la mort de l'amour de mes parents, mes fleurs à la main, comme un idiot. C'est pourtant de cet instant que date ma liberté...

À la réflexion, c'est moi qui ai menti le premier, qui suis le coupable. Car j'ai juré, le jour où j'ai découvert que mes parents ne s'aimaient plus, de ne pas oublier. J'ai juré, sur le temps que je découvrais — sur ma première liberté —, sur le temps que je ne savais pas encore être. J'ai donné ma parole.

Les fantaisies dont j'ai pu vouloir combler ce serment impossible à tenir!

Un jour, m'étant chargé jusqu'au bout de la responsabilité de leur échec — tout en prenant au départ pour ma mère, parce qu'elle semblait la plus faible —, je réconcilierais mes parents. Par la seule magie des mots, j'arrangerais tout. Une fois la paix revenue, tout continuerait comme avant, toujours. J'ai si longtemps cru, dans mon naïf orgueil d'enfant, que le mal, déjà fait, était, sinon impossible, du moins réparable. Ils ne parlaient, ni l'un ni l'autre. Je parlerais pour eux, à leur place. Je sauverais tout. Je leur ferais de doux reproches qui les forceraient à s'aimer de nouveau. Je ne me rendais pas compte que c'est pour moi — pour me défendre de tomber à mon tour, si tôt, dans cette indifférence jouée, dans ce faux silence qui, plus que tout peut-être, envenimèrent la situation — que je voulais savoir dire ces mots qui me brûlaient la gorge, que je leur prêtais en secret. Je leur ai prêté des sentiments qu'ils n'avaient pas ou plus: c'étaient les miens. J'ai pris sur mon dos un échec qui ne me regardait pas mais auquel — me croyant l'enfant, non pas d'un amour, mais de cet échec même — je me sentais vaguement associé.

La vie se sera faite presque en dépit de nous!

À me prêter ainsi à cette seule comédie de me croire coupable à la place de gens qui ne l'étaient pas — peut-on être coupable de ne plus aimer? —, je puis dire que j'ai connu la folie sous bien des formes.

Ainsi, longtemps, je me suis cru un ange. C'est-à-dire un enfant né, non pas d'un homme et d'une femme — comme tout le monde —, mais du feu même du soleil, tombé du ciel sur la terre, en partant et y revenant à mon gré... (À force de tomber, il finit par nous pousser des ailes, me disais-je.) Je venais porter la paix sur la terre.

Ou bien j'étais homme et femme à la fois, en même temps, «au même instant». Plongé — et heureux d'y être — dans une sauvage et fière solitude, n'ayant besoin, pour me réaliser, de personne, me satisfaisant parfaitement moi-même, dans la pure contemplation de l'ordre universel.

Ou bien un enfant triste, triste et blessé dans son orgueil de ne pouvoir tenir sa parole.

J'ai longtemps varié au gré de toutes les images qui s'offraient à moi, quêtant partout, et n'importe où, mon identité perdue. Mon identité investie toute dans l'image du couple à jamais brisé de mon père et de ma mère, impossible à réaliser.

Je reprends aujourd'hui ma parole.

Demain, ou après-demain, même si le jour n'est pas d'un bleu éblouissant, j'irai m'agenouiller dans l'herbe.

Je suis bien un homme de chair et d'os, attaché à la terre de toutes ses forces, de toute sa parole, de tout son amour.